VOO CEGO

Ivan Sant'Anna e Luciano Mangoni

Voo cego

Copyright © 2017 by Ivan Sant'Anna e Luciano Mangoni

Grafia atualizada segundo o Acordo Ortográfico da Língua Portuguesa de 1990, que entrou em vigor no Brasil em 2009.

Capa
Guilherme Xavier

Foto de capa
Desenho Editorial

Imagens do caderno de fotos
Photovault.com © 2016

Mapa
Bruno Romão

Preparação
Leny Cordeiro

Revisão
Ana Maria Barbosa
Adriana Bairrada

Dados Internacionais de Catalogação na Publicação (CIP)
(Câmara Brasileira do Livro, SP, Brasil)

Sant'Anna, Ivan
    Voo cego / Ivan Sant'Anna e Luciano Mangoni. – 1ª ed. – Rio de Janeiro : Objetiva, 2017.

    ISBN 978-85-470-0022-6

    1. Acidentes aéreos 2. Acidentes aéreos – Investigação 3. Avianca voo AVA052, colisão, 1990 4. Tragédia I. Mangoni, Luciano. II. Título.

16-08987   CDD-363.1241

Índice para catálogo sistemático:
1. Acidentes aéreos : Investigação : História
   363.1241

[2017]
Todos os direitos desta edição reservados à
EDITORA SCHWARCZ S.A.
Praça Floriano, 19 – Sala 3001
20031-050 – Rio de Janeiro – RJ
Telefone: (21) 3993-7510
www.objetiva.com.br

Este livro é dedicado ao povo colombiano

The air up there in the clouds is very pure and fine, bracing and delicious. And why shouldn't it be? — it is the same the angels breathe.
[O ar lá em cima, nas nuvens, é muito puro e saudável, estimulante e delicioso. E por que não o seria? É o mesmo que os anjos respiram.]
Mark Twain

Introdução

Às 13h10 de quinta-feira, 25 de janeiro de 1990, um Boeing 707, prefixo HK-2016, da companhia aérea colombiana Avianca, cumprindo o voo AVA052, decolou do aeroporto internacional El Dorado, em Bogotá, com destino a Nova York e escala em Medellín. O comandante da aeronave era Laureano Caviedes, de 51 anos. Tinha como primeiro-oficial (copiloto) Mauricio Klotz, de 28. Completava a tripulação de cockpit (cabine de comando) o engenheiro de voo Matías Moyano, 45. Seis comissários, três homens e três mulheres, cuidariam do serviço de bordo.

Cinquenta e quatro minutos após partir de Bogotá, o AVA052 pousou no aeroporto internacional José María Córdova, em Medellín, de onde partiu uma hora e quatro minutos mais tarde. A bordo, além da tripulação, 149 passageiros.

Enquanto sobrevoava o mar do Caribe, indo para o norte em direção ao aeroporto internacional John F. Kennedy (JFK), em Nova York, a cinco horas e meia e 3835 quilômetros de distância, o Avianca 052 desfrutou de condições meteorológicas quase perfeitas. Só que uma tempestade proveniente do Meio-Oeste americano atingira a costa nordeste dos Estados Unidos e aumentava de intensidade ao longo do dia. Chuva, nevoeiro e fortes ventos soprando em todas as direções atormentavam os pilotos e controladores de voo numa das áreas de maior tráfego aéreo em todo o mundo.

Os fatos quase inacreditáveis que cercaram o voo 52 se tornariam matéria obrigatória nas escolas de aviação comercial. É o relato desses acontecimentos que o leitor verá a seguir.

Junho de 2016
Ivan Sant'Anna
ivansantanna1929@gmail.com
Luciano Mangoni
luciano.mangoni@gmail.com

PARTE 1

1. Garganta profunda

Noite de quarta-feira, 24, para quinta, 25 de janeiro de 1990. No quarto de um hotel barato de Medellín — segunda maior cidade da Colômbia, situada no Centro-Sul do país —, José Orlando Figueroa, um homem corpulento de 32 anos, engolia pacientemente o maior número de cápsulas de cocaína possível. Para incentivá-lo — um estímulo que se transformava em ameaça cada vez que Figueroa hesitava em engolir mais uma cápsula —, um agente do cartel local, que já fora um dos maiores entrepostos de drogas do mundo mas estava em franca decadência, não saía de seu lado.

Tanto José Figueroa quanto o homem que o acompanhava eram pessoas de hierarquia muito baixa no mundo das drogas. O posto de Figueroa era mais conhecido como "mula", gente que, entre outros métodos, usava o próprio corpo como esconderijo do precioso pó.

As cápsulas eram preservativos recheados com aproximadamente oito gramas de cocaína pura cada um. Tinham a forma de uma pequena salsicha, do tamanho de um dedo indicador. Já haviam chegado ao hotel prontas para ser engolidas. O enchimento fora trabalho de um especialista embalador, que usara uma colher de sobremesa para colocar o pó no interior das camisinhas, cujas bocas eram amarradas depois de cheias, sem que se perdesse um grama sequer. Por outro lado, se uma das camisinhas se rompesse durante a missão — e isso já acontecera várias vezes com outros mulas —, Figueroa teria morte quase instantânea por overdose.

Recrutar os mulas era um processo difícil e custoso. O cartel estava sempre precisando de gente. Como a cocaína se destinava aos Estados Unidos, antes de mais nada os correios da droga precisavam ter visto americano, ser residentes ou, até melhor, cidadãos dos Estados Unidos. Isso restringia muito o universo de candidatos.

A incapacidade de engolir as salsichinhas, difíceis de passar pela garganta, bem como a falta de coragem para fazê-lo, cortava algo como 90% dos restantes. Finalmente, os homens aptos para as "missões" e dispostos a cumpri-las não podiam dar entrada em Nova York ou Miami a todo momento, o que os colocaria em uma lista de suspeitos, já que as passagens pela Imigração americana ficavam registradas em seus passaportes e nos computadores do governo de Washington. Por isso, as viagens de cada um dos mulas eram espaçadas.

Sob pressão de seu acompanhante, Figueroa conseguiu engolir cem preservativos, usando um óleo mineral finíssimo como lubrificante. O moço do cartel não ficou satisfeito. Mandou que o mula engolisse mais, até que seu organismo regurgitou o 105º invólucro. Foram ao todo, portanto, 104 cápsulas com oito gramas cada, o que dava quase um quilo de droga, mais precisamente 832 gramas.

Nas próximas doze horas, José Orlando Figueroa, que já chegou ao hotel após longo jejum, não poderia beber nem comer nada e muito menos, é claro, evacuar. As 104 cápsulas tinham de ficar espalhadas ao longo de seu tubo digestivo, a maior parte no estômago. Quando estivesse no avião da Avianca, que decolaria do aeroporto internacional José María Córdova, em Medellín, o mula, todo entalado, teria de aceitar as bandejas de refeição, para não despertar suspeitas dos comissários de bordo, porém apenas fingir que as comia, remexendo os talheres para lá e para cá.

Em janeiro de 1990, um quilo de cocaína valia 3 mil dólares em Medellín, preço que saltava para 45 mil em Nova York. Um mula recebia em média uns 4 mil dólares pelo serviço, dependendo, é claro, de sua capacidade de absorção. Alguns correios excepcionalmente bem-dotados já tinham conseguido transportar dois quilos e meio da droga, o que representava mais de trezentas cápsulas. Mas esses eram fenômenos.

Mesmo descontando as passagens aéreas e demais despesas, incluindo os honorários dos mulas e as eventuais perdas por ruptura de cápsulas ou flagrantes e apreensões da polícia aeroportuária americana, esse modo de tráfico ainda era um bom negócio, embora o grosso da cocaína que seguia da Colômbia para os Estados Unidos fosse transportado por outros métodos que permitiam maior quantidade, tais como coletes recheados de pó amarrados ao corpo, fundos falsos de malas, barcos, aviões pequenos que voavam rasante para escapar dos radares da Guarda Costeira americana, e até submarinos rústicos.

Uma maneira medonha de transportar cocaína foi tentada certa ocasião. O cadáver de um bebê foi aberto, suas vísceras retiradas, e cocaína colocada no interior da caixa torácica e na cavidade abdominal, costuradas logo após. E assim ele embarcou no colo de uma mulher que fingia ser sua mãe. Mas, na Alfândega americana, a imobilidade completa e a ausência total de sons do bebê fez o inspetor aduaneiro desconfiar que havia algo errado, e a fraude foi desmascarada.

O tráfico de narcóticos era um dos principais negócios do mundo, e nesse segmento a Colômbia formava a linha de frente da elite. Certa ocasião, o traficante Pablo Escobar (1949-93), arquiduque das drogas, propôs pagar a dívida externa colombiana em troca de um perdão para si, mas sua proposta não foi considerada.

Enquanto José Figueroa engolia suas cápsulas, numa casa nos arredores de Medellín Antonio Zuluaga fazia a mesma coisa. Zuluaga, de 46 anos, era um homem de ação do cartel local, conhecido por sua violência e impiedade, e jamais operara como mula. Mas, como estava viajando para Nova York, resolveu ter um ganho extra. Só que se revelou um fracasso na nova tarefa.

Zuluaga sentiu fortes náuseas e ardência na garganta e desistiu de continuar após engolir apenas 29 preservativos, também com oito gramas cada um, totalizando 232 gramas, uma carga de apenas 11 mil dólares, em valores do mercado de Nova York. Mesmo assim, era melhor o cartel deixá-lo fazer a viagem para evitar o processo de excreção, assepsia completa e carregamento de um novo mula.

Figueroa e Zuluaga tinham passagens reservadas no voo 52 da Avianca que decolaria de Medellín no início da tarde de quinta-feira, dia 25, com destino ao aeroporto internacional John F. Kennedy, em Nova York.

Após a chegada, já à noite, os dois seriam levados para locais que, até aquele momento, desconheciam (pois sempre havia a hipótese de serem presos e darem com a língua nos dentes), e onde beberiam grande quantidade de um poderoso laxante dissolvido em água. Em seguida, sentados em penicos, "desovariam" a mercadoria, que seria lavada, aberta e pesada, para conferir se a quantidade de pó expelido batia com a de pó engolido. Só então receberiam seu dinheiro.

Além de Figueroa e Zuluaga, outros mulas estavam sendo preparados naquela noite. Não seria exagero afirmar que as rotas Medellín-Nova York e Medellín-Miami eram uns dos principais caminhos de entrada de drogas via aérea nos Estados Unidos. Só que a Imigração e a Alfândega americanas, assim como a DEA (Drug Enforcement Administration) — agência do governo que, entre outras funções, cuidava da repressão ao tráfico de entorpecentes —, também sabiam perfeitamente dessas particularidades. Por isso um avião colombiano, lotado de colombianos, procedente da Colômbia, era sempre um avião suspeito.

2. Férias colombianas

Se tivéssemos que escolher um passageiro-padrão entre os que estariam no voo 52 da Avianca que partiria de Bogotá para Nova York em 25 de janeiro de 1990, diríamos que seria um cidadão colombiano residente nos Estados Unidos. Esse era, por exemplo, o caso de Carlos Patiño e sua mulher, María Josephina Patiño. Já o filho do casal, Juan David, de sete anos, que também estaria a bordo do Avianca 052, nascera em Nova York em 1982, dois anos após seus pais terem emigrado da Colômbia para tentar a vida na América.

Os Patiño, que viviam no bairro nova-iorquino do Queens, foram à Colômbia passar as férias com suas famílias, que não viam havia tempo. Quase o mesmo perfil — morava no Queens e fora à Colômbia rever os parentes — tinha o taxista Salomón Giraldo, de 52 anos.

O colombiano Jorge Lozano era um executivo da multinacional Cargill. Bem-sucedido na carreira, golfista amador, seu escritório ficava em Bogotá, onde mantinha residência fixa, mas viajava constantemente para os Estados Unidos. Todos os anos, no final de janeiro ou início de fevereiro, acontecia uma reunião de dirigentes em Minnetonka, subúrbio de Minneapolis, no estado de Minnesota, onde a Cargill tinha sua sede.

Normalmente Lozano viajava de Bogotá para Miami e de lá para Minneapolis. Já até adquirira o bilhete com essa rota quando o chefe do escritório da companhia em Nova York o convidou para conhecer as novas instalações da sucursal da empresa na cidade. Jorge Lozano então trocou seu bilhete para o voo 52. Como se tratava de uma viagem de negócios, iria sozinho. Sua mulher, Begoña, permaneceria em Bogotá.

Gloria Martínez, de 32 anos, residente na cidade de West New York, no estado de Nova Jersey, viajara à Colômbia para mostrar seu filho de quatro meses, Fernando Kenneth (Kenny) Martínez, para uma tia idosa, doente terminal que queria conhecer o sobrinho-neto antes de morrer.

Astrid López, vinte anos, estudante do último período do curso secundário em Medellín, e que pretendia fazer faculdade de direito, sentia-se entusiasmada com as duas semanas de férias que passaria em Nova York a partir de 25 de janeiro, prêmio que sua mãe, Miryam Ballesteros, lhe dera devido a seu excelente desempenho escolar.

A moça viajaria sozinha, deixando cinco irmãos para trás. Se fosse possível, Astrid tentaria dar uma esticada até a Flórida para realizar um dos seus maiores sonhos: conhecer a Disney World.

Plácido Cruz Martín, colombiano, 39 anos, morador no bairro do Queens havia oito anos, além de pintor e emassador de paredes, era maratonista internacional. Já participara de competições na África, no México, no Brasil e no Canadá. Boas colocações tinham lhe rendido inúmeros prêmios e troféus, tendo inclusive ganhado a 49ª maratona anual de Yonkers, em 1985.

O motivo da viagem de Plácido à Colômbia fora passar o Natal com a família, e acabara estendendo as férias por quase todo o mês de janeiro. No dia 25 voltaria para Nova York e retomaria sua rotina de trabalho e de treinos no West Side Runners Club. Antes de correr maratonas, Plácido Martín fora toureiro em sua terra.

Néstor Zárate, advogado colombiano, vivia com a mulher em Nova York, nas proximidades do Central Park. Seus três filhos residiam na Califórnia.

Zárate preparava-se para viajar para Bogotá a serviço de uma causa processual. Comprara sua passagem numa loja da American Airlines, em Manhattan, sendo seu regresso previsto via Miami. No entanto, fazia o possível para transferir o bilhete para a Avianca — naquela época era possível esse tipo de endosso. Caso fosse bem-sucedido, ele pegaria o voo 52 do dia 25 de janeiro. Isso lhe pouparia várias horas de espera aborrecida no Aeroporto Internacional de Miami.

María Eugenia Agudelo era publicitária em Nova York. Como o ano de 1989 fora de muito trabalho, ela decidiu tirar férias de Natal na Colômbia, visitando a família. Uma semana antes de seu regresso aos Estados Unidos, teve a passagem, o passaporte e todos os documentos roubados.

Enquanto providenciava os novos papéis, María foi obrigada a remarcar seu bilhete. A Avianca lhe conseguiu um lugar no voo 52 de 25 de janeiro.

* * *

Héctor Vásquez morava em Nova York com a mulher, Luz Elena, e a filha do casal, Jessica, de dois anos e meio. Como presente de fim de ano, Héctor deu a elas passagens de ida e volta para a Colômbia, onde visitariam parentes, saindo no início de dezembro. Ele próprio não podia ir por razões de trabalho. Jessica era americana de nascimento e ainda não fora apresentada aos avós, tios e primos. Luz, por sua vez, não ia lá havia oito anos.

A volta de Luz Elena e Jessica fora marcada para a noite de Natal de 1989. Só que Luz gostou tanto da viagem que perguntou ao marido se ela e a filha não podiam ficar mais um mês, regressando no dia 25 de janeiro. Apesar das saudades que sentia das duas, Héctor não teve como recusar o pedido.

Desde que emigrara para os Estados Unidos, Sergio Iván Giraldo, motorista de uma empresa de limusines de Nova York, nunca mais voltara à cidade natal, Manizales, numa região montanhosa do Sul da Colômbia, para rever a família. Mas, em meados de 1989, decidira tirar férias no fim do ano, entre 10 de dezembro e 10 de janeiro de 1990, e visitar seu pessoal. Em outubro já começou a comprar os presentes, para que nenhum de seus parentes próximos deixasse de receber pelo menos uma lembrança.

Em novembro, Doris, irmã de Sergio, o convenceu a viajar com ela, que só poderia embarcar no dia 17 de dezembro, após receber seu green card. Nesse caso, voltariam em 17 de janeiro. Mas, na última hora, ela cancelou a viagem. Sergio então decidiu mudar seus planos pela segunda vez. Iria no dia de Natal e regressaria exatamente um mês depois, em 25 de janeiro. Como tinha pavor de voar, não se sentia nem um pouco confortável enquanto aguardava o dia da viagem para a Colômbia.

Uma pane na aeronave na qual embarcaria no Kennedy não melhorou em nada o estado de ânimo de Giraldo. Mas enquanto o avião era substituído por outro, que precisou vir da Colômbia, fato que provocou um atraso de treze horas, ele teve tempo mais do que suficiente para "beber" coragem num bar do aeroporto. Estava relaxado quando decolou às quatro da manhã do dia 26 de dezembro. Pousou em Pereira, no Centro-Oeste do país, onde fez conexão com um voo para Manizales.

Sergio Giraldo passou um fim de ano inesquecível com os parentes. Faltando ainda mais de três semanas para regressar aos Estados Unidos, o medo de voar não o afligia naquele momento.

María Lucila Torres, casada, dois filhos, aos 46 anos de idade trabalhava na empresa Almacafé, de armazéns gerais, em Medellín. Tinha uma irmã, Gabriela, residente em Nova Jersey, que a convidou para passar férias em sua casa. María Torres, que jamais saíra da Colômbia, se entusiasmou com o convite e conseguiu obter o visto americano. Comprou passagem no voo 52 da Avianca, que saía de Medellín às três da tarde de quinta-feira 25 de janeiro de 1990. Iria sem o marido e os filhos.

A vida de Jessica Gutiérrez mudaria completamente. Ela tinha oito anos de idade e morava em Bogotá com os avós, José Walter e Liria Palacios. A mãe de Jessica, Aída Gutiérrez, fora para Nova York em busca de uma vida melhor e agora, já instalada, regressava à capital colombiana para buscar a filha.

Embora feliz de voltar a viver com a mãe, Jessica sentia o coração apertado por saber que teria de deixar seus amiguinhos para ir viver em uma terra totalmente desconhecida.

A americana Margaret (Margie) Law, 24, sempre vivera nos subúrbios da Filadélfia. Em 1989, exercia a função de subgerente de um restaurante popular. Quatro anos antes se apaixonara por Miguel Olaya, cinco anos mais velho que ela. De origem colombiana, Miguel, um rapaz bonito e moreno, nascera em Nova York mas voltara com os pais para Bogotá, onde fora criado, retornando mais tarde aos Estados Unidos, justamente para a Filadélfia.

Miguel e Margie se conheceram em 1985, numa noite em que ele foi tomar um drinque com amigos no estabelecimento onde ela trabalhava. Nessa ocasião ele era chef de outro restaurante, sofisticado e caro. Após um flerte inicial, os dois passaram a se ver com regularidade. Não demorou e se tornaram noivos, indo viver juntos.

Em novembro de 1989, Miguel convidou Margie para conhecer a Colômbia. Lá ele a apresentaria a seus pais e ao resto da família. Ela, emocionada, aceitou imediatamente o convite. Seria sua primeira viagem ao exterior. Viajaram de carro os 160 quilômetros que separavam a casa deles do aeroporto internacional John F. Kennedy, onde embarcaram num voo da Avianca numa manhã gelada do início de janeiro.

Chegando a Bogotá, o casal foi recebido no aeroporto por quase toda a família de Miguel. As semanas que se seguiram revelaram-se uma experiência inédita e fantástica para Margie Law. Ela se integrou totalmente à família do noivo. Tornou-se amiga da futura sogra, Cecilia, e da irmã de Miguel, Pilar.

3. Um velho 707 e sua tripulação

Por trás de cada voo de uma companhia aérea há uma logística que tem de ser muito bem elaborada e cumprida à risca. Escala dos tripulantes, disponibilidade das aeronaves, tudo isso precisa ser organizado de modo que não haja ociosidade nem sobrecarga de trabalho dos pilotos e comissários de bordo, assim como não pode haver um avião parado no hangar sem programação, nem voando excessivamente em prejuízo de suas revisões obrigatórias.

Peças de uma aeronave são trocadas antes de quebrar ou de sofrer fadiga de material (desgaste). Para isso, há um cronograma especial de revisões com prazos de validade específicos para cada uma. Tudo isso idealizado pelo fabricante e aprovado pelas autoridades aeronáuticas.

Para o voo AVA052 Bogotá-Medellín-Nova York de 25 de janeiro de 1990, a Avianca designara o Boeing 707-321 B, matrícula HK-2016. Tratava-se de uma aeronave fabricada em 1967, estando portanto em seu 23º ano de uso. Fizera parte da frota da Pan American World Airways durante seus primeiros dez anos de operação, tendo sido vendida para a Avianca em fevereiro de

1977. Sua fuselagem já acumulara um total de 61 674 horas de voo, o que significa uns 40 milhões de quilômetros percorridos, equivalentes a 52 viagens de ida e volta entre a Terra e a Lua. Tradição era o que não faltava à empresa aérea e ao modelo de aeronave que voaria para Nova York no início da tarde do dia 25. A Avianca fora fundada em dezembro de 1919, época em que os pilotos eram verdadeiros heróis, assim como seus passageiros, por se aventurarem naquelas geringonças precárias, feitas de tela e bambu. Já o Boeing 707 foi o segundo modelo de avião a jato a ser usado na aviação comercial, tendo entrado em operação em setembro de 1958. Só perdia em idade para o Comet, inglês, lançado em 1953, e cujas operações estiveram interrompidas por alguns anos em consequência de duas tragédias provocadas por panes estruturais. Os 707 pararam de ser fabricados em 1978, época em que os *wide-body* — aviões de grande porte, como os jumbos (Boeing 747) — já dominavam o mercado.

Embora estivesse com suas inspeções em dia, ao menos no papel, o HK-2016 da Avianca, que faria a rota de Nova York, tinha problemas: o sistema de piloto automático apresentava falhas no modo de manutenção de altitude; o cilindro gravador de uma das duas caixas-pretas, o FDR (Flight Data Recorder — registro de parâmetros de voo), estava inoperante, tendo sido bloqueado com uma fita adesiva que o impedia de girar.

A tripulação escalada pela Avianca para o voo 52, toda constituída de colombianos, era a seguinte:
Comandante Laureano Caviedes Hoyas, 51
Primeiro-oficial (copiloto) Mauricio Klotz Rubio, 28
Engenheiro de voo Matías Moyano Rojas, 45
Chefe de equipe Alberto Contreras, 50

Comissários de bordo Germán Rivera, Jairo Alberto Turco Parra, Luz Amanda Gonzáles, Marta Elena Rodríguez, 32, e Rosa Ginneth Téllez.

O comandante Caviedes nasceu em 20 de novembro de 1938, tendo ingressado na Avianca em 1962, aos 23 anos. Portanto, estava na empresa havia 27 anos e meio, sendo um dos aviadores mais experientes da companhia. Possuía um certificado de piloto de linhas aéreas, já tendo voado Hawker Siddeley HS-748, Boeings 720 e 727, além do 707. Tinha 16 787 horas de voo, das quais 1534 em 707s. Por catorze vezes aterrissara um 707 no aeroporto internacional John F. Kennedy. Jamais sofrera um acidente ou incidente grave na carreira.

A grande limitação do comandante era seu inglês deficiente. Mas nessa viagem do AVA052 para Nova York isso não deveria ser um problema porque seu copiloto, Mauricio Klotz, dominava o idioma perfeitamente, com uma pronúncia tão boa que ninguém desconfiava que era latino-americano.

Klotz era um jovem piloto — acabara de completar 28 anos — muito estudioso e entusiasta da profissão. Trabalhava na Avianca havia três anos. Tinha um total de 1837 horas de voo. Em outubro de 1989, apenas três meses antes de ser escalado para o voo 52, fora promovido de Boeings 727, trirreatores, para os 707, de quatro turbinas, equipamento no qual voara apenas 64 horas.

Apesar de seu inglês fluente, Mauricio Klotz, por ser extremamente tímido, não se impunha com convicção ao falar com os controladores de voo, principalmente os norte-americanos, notórios pela impaciência no trato com pilotos de países de idiomas diferentes. E caberia a Klotz toda a comunicação com os órgãos de controle aéreo dos Estados Unidos no voo de 25 de janeiro.

A tripulação do cockpit do Avianca 052 seria completada pelo engenheiro de voo, função também conhecida como mecânico de voo, Matías Moyano Rojas, de 45 anos. Tal como o comandante Laureano Caviedes, Moyano era veterano na empresa, na qual fora admitido em maio de 1966. Sua caderneta de voo registrava 10 134 horas, das quais 3077 em aeronaves Boeing 707. Mas, nos últimos tempos, voara mais em Boeings 727, tendo se requalificado para o 707 em outubro de 1989, portanto recentemente. Entre as funções mais importantes de Moyano se destacavam a de monitorar o funcionamento dos motores e o consumo de combustível.

No dia 25 de janeiro seria a primeira vez que os três tripulantes de cockpit do AVA052 voariam juntos formando uma equipe, numa viagem possivelmente exaustiva devido ao mau funcionamento do sistema de piloto automático, problema do qual ainda não deviam ter conhecimento por ocasião da divulgação de suas escalas de voo.

4. Colômbia: às vésperas do voo 52

Jessica Gutiérrez, de oito anos, dedicou seus últimos dias em Bogotá às despedidas dos amiguinhos e colegas de colégio. A menina deixava a casa dos avós para viver com a mãe em Nova York.

À medida que o dia 25 de janeiro se aproximava, e com ele a partida do voo 52 da Avianca, Luz Elena Vásquez procurava aproveitar ao máximo o convívio com a família e os amigos, aos quais apresentara sua filha, Jessica, de dois anos e meio, nascida nos Estados Unidos. Nos telefonemas quase diários de Nova York, Héctor, marido de Luz e pai de Jessica, não se cansava de falar da enorme saudade que sentia das duas.

"*Te quiero mucho, caremico* [cara de mico]." Era por este apelido carinhoso que Héctor Vásquez costumava chamar a filha.

"*Si, papi, si papi!*" Jessica também queria voltar logo a ver o pai.

Até agora o advogado Néstor Zárate, que fora a Bogotá a negócios, não conseguira transferir seu bilhete da American

Airlines para a Avianca. Mas continuava tentando. Várias vezes por dia ligava para o escritório da companhia aérea, verificando se houvera alguma desistência.

Sergio Iván Giraldo aproveitou a estada em Manizales, sua terra natal, para, além de rever os parentes e amigos, comparecer à feira da cidade, uma das festas mais importantes e tradicionais da Colômbia, que acontece todos os anos entre 3 e 12 de janeiro.

Como sempre, a principal atração da feira de Manizales de 1990 foram as touradas. Mas houve também exibições de danças folclóricas, concertos ao ar livre e a escolha anual da rainha do café, título aberto a mulheres de todo o mundo e que naquele ano foi vencido por uma chilena, Daniela Thieme. Terminada a festa, Giraldo começou a se preparar para voltar a Nova York, onde seu emprego de motorista de limusines o esperava.

Os Patiño — Carlos, sua mulher, María Josephina, e o filho do casal, Juan David, de sete anos — também faziam suas últimas visitas de despedida, antes de voltarem para seu apartamento no Queens, por sinal o mesmo bairro onde vivia o motorista Sergio Giraldo.

Para tristeza da americana Margie Law, sua temporada em Bogotá estava chegando ao fim. Faltavam poucos dias para que ela e o noivo, Miguel Olaya, regressassem à Filadélfia no voo 52.

O que mais deixou Margie feliz foi se sentir parte da família de Miguel. Os parentes e amigos dele a cobriram de gentilezas e agrados, levando-a para conhecer os principais pontos turísticos da cidade. Sua futura sogra, Cecilia, ensinou Margie a preparar os principais pratos da cozinha colombiana.

* * *

Enquanto as pessoas passavam seus últimos dias de viagem aproveitando as férias, em Medellín o cartel das drogas já selecionara os mulas do Avianca 052 do dia 25. Era um fluxo que não terminava nunca.

5. Despedidas

Onze horas da manhã de 25 de janeiro. Em Bogotá, o advogado Néstor Zárate estava no escritório do irmão quando recebeu um telefonema da Avianca.

"Senhor Zárate", a voz feminina apresentava sinais de afobação, "houve uma desistência no voo 52. O senhor ainda está interessado em viajar conosco para Nova York?"

"Claro, claro." Havia dias que o advogado tentava transferir seu bilhete da American Airlines, via Miami, para o voo 52 da Avianca.

"Se o senhor conseguir chegar a nosso balcão de check-in aqui no El Dorado [aeroporto internacional de Bogotá] em uma hora, e não fizer questão de escolher lugar, poderemos acomodá-lo. Ah, e só poderá levar bagagem de mão."

Era o suficiente para Néstor, que fizera uma viagem "bate e volta" para tratar de uma causa em Bogotá e trouxera pouco mais que a roupa do corpo e objetos de toalete.

Após dois meses de ausência da mulher, Luz Elena, e da filha, a pequenina Jessica, Héctor Vásquez não via a hora de vê-las chegando ao International Arrivals Building, no aeroporto Kennedy.

O voo 52 da Avianca que as traria de Bogotá, via Medellín, tinha aterrissagem prevista para as 19h40.

Héctor preparara duas surpresas para Luz: mudara a decoração da casa e chamara quarenta pessoas, entre parentes e amigos, para uma festa de boas-vindas. Os convidados estariam todos aguardando a chegada de mãe e filha, enquanto ele iria pegá-las no JFK.

Três mil e oitocentos quilômetros ao sul de Nova York, em Medellín, o motorista de limusines Sergio Giraldo foi ao dentista às dez da manhã. Seus dentes do siso o incomodavam, e o profissional fez um corte na gengiva sobre cada um deles para aliviar a pressão.

"Poderá sangrar um pouco durante o voo", disse-lhe o dentista. "Mas isso é natural. O importante é que com esses cortes os dentes não irão doer."

Giraldo não estava preocupado com os sisos, mas sim com o voo, pois à medida que a hora da decolagem, prevista para as três da tarde no aeroporto José María Córdova, se aproximava, o velho medo de voar ressurgia. Era algo que ele não conseguia controlar.

Na véspera, Sergio Giraldo percorrera de carro os 194 quilômetros que separavam Manizales de Medellín, de carona com sua irmã. Levaram quase quatro horas para fazer o percurso, a maior parte dele em estradas montanhosas e cheias de curvas. Sergio não sentiu nem um pouco de medo. Sua fobia era com a aviação, e não com as rodovias estreitas e perigosas da Colômbia.

Também em Medellín, María Lucila Torres, de 46 anos, se despedia do marido e dos dois filhos, aguardando ansiosamente a hora de ir para o aeroporto José María Córdova. Finalmente iria conhecer os Estados Unidos e visitar sua irmã, Gabriela, com a qual não se encontrava havia muito tempo, em Nova Jersey.

Nos últimos dias, Jessica, que ia viver com a mãe em Nova York, não fizera outra coisa a não ser curtir os avós, Liria e José Walter, e os coleguinhas. O coração da garota ficava apertado e seus olhos se enchiam de lágrimas enquanto aguardava a hora de todos irem para o aeroporto El Dorado para as despedidas. Ninguém sabia quando iriam se ver novamente.

O dia, tanto em Bogotá como em Manizales e Medellín, estava quente, radiante e ensolarado, sem uma só nuvem. Os boletins meteorológicos, que dividem o céu em oito oitavos, relatavam que em todas as altitudes a cobertura de nuvens era de zero oitavo.
O mesmo não acontecia no Norte dos Estados Unidos, onde uma tempestade com fortes ventos e nevascas se deslocava do Meio-Oeste e dos Grandes Lagos para a Costa Leste.

6. Aeroporto El Dorado

Enquanto os tripulantes e passageiros do voo 52 da Avianca para Nova York, com escala em Medellín, iam chegando ao aeroporto internacional El Dorado, em Bogotá, o velho e surrado Boeing 707, prefixo HK-2016, estacionado no pátio, era preparado para a viagem.

O teto e a parte inferior da fuselagem eram pintados de branco. Uma extensa faixa vermelha, com aproximadamente dois metros de altura e 44 de comprimento, ia do nariz até a cauda, emoldurando as portas, janelas e saídas de emergência. Em cada lado da parte externa do 707, preenchendo o espaço entre a porta dianteira e a asa, havia um letreiro com os dizeres AVIANCA COLOMBIA. O nome Avianca também aparece, em diagonal, na cauda, cujo ponto mais alto ficava a quase doze metros do solo. A fuselagem brilhava sob o sol intenso do início da tarde.

Conectada à aeronave, uma GPU (sigla em inglês para Unidade de Força de Solo — Ground Power Unit), montada sobre rodas, fornecia energia para o Boeing. Junto às portas das *galleys* (copa e cozinha de bordo), dois caminhões pequenos, com carrocerias tipo cofre, que se erguiam por intermédio de um dispositivo elevatório sanfonado, abasteciam a primeira classe e a econômica do 707 com os itens do serviço de bordo.

Alguns calços travavam as rodas dos três trens de pouso. Capas protegiam as bocas dos tubos de Pitot, sondas que fornecem dados aos indicadores de velocidade do ar, evitando a entrada de poeira e detritos. Todas essas proteções seriam removidas antes da decolagem.

Os três tripulantes de cockpit, comandante Laureano Caviedes, copiloto Mauricio Klotz e engenheiro de voo Matías Moyano, se reuniram na sala de despacho para discutir os detalhes da primeira etapa, Bogotá-Medellín. Próximo deles, o chefe de equipe, Alberto Contreras, dava instruções aos outros cinco comissários.

Era uma tripulação experiente. Todos já tinham voado para Nova York e estavam familiarizados com as peculiaridades da rota.

Caviedes, Klotz e Moyano conversaram com o DOV (despachante operacional de voo) da Avianca em Bogotá. Falaram somente sobre a primeira etapa, da capital até Medellín, um voo doméstico de apenas cinquenta minutos e sem maiores desafios operacionais, ainda mais que o tempo estava bom em rota e no destino. Outro DOV estaria esperando o AVA052 em Medellín. Caberia a esse segundo despachante discutir a perna mais importante do voo, a ser realizada entre os aeroportos José María Córdova, de Medellín, e o JFK, de Nova York.

Do alto das quatro faixas douradas do punho de seu paletó, Caviedes se comportava como um inconteste superior hierárquico, distante do primeiro-oficial, Mauricio Klotz. Chamava-o de Mauricio e recebia de volta o tratamento de senhor ou de comandante. Pudera. Laureano Caviedes era 23 anos mais velho que o primeiro-oficial, tinha um quarto de século a mais de tempo na companhia e nove vezes mais horas de voo. Klotz só o superava, e por larga margem, na fluência em inglês.

Por ser quase tão veterano quanto Caviedes, o engenheiro de voo Matías Moyano era tratado pelo comandante de modo menos formal.

Os três ficaram sabendo que o 707, apesar de estar em boas condições, tinha apresentado, de acordo com relatos de voos anteriores, um problema em um canal do piloto automático, que por vezes não conseguia manter uma altitude constante.

O advogado Néstor Zárate, que obteve sua reserva na última hora, foi designado para o assento número 21C, junto ao corredor da classe econômica, conforme constava em seu cartão de embarque. Seu nome, o último da lista dos que iniciavam a viagem em Bogotá, foi preenchido à mão na lista de passageiros pela funcionária do check-in.

Zárate não teve tempo de avisar sua mulher, em Nova York, sobre a mudança de voo, mas isso não era problema, pois, se fosse viajar pela American Airlines via Miami, chegaria horas mais tarde. De toda a família do advogado, o irmão era o único que sabia que ele iria voar pela Avianca.

Pouco antes da hora fixada para o embarque, Luz Elena Vásquez foi a uma lanchonete do aeroporto para beber e comer algo com sua filha Jessica e com alguns familiares que foram levá-las ao El Dorado. Só que a menina acabou derramando refrigerante na roupa branca da mãe e as duas tiveram de ir ao banheiro, onde Luz Elena pôde ao menos disfarçar um pouco as manchas.

Quando estavam no toalete, os alto-falantes anunciaram o voo 52, sem que Luz ouvisse a chamada. No retorno ao saguão, ela soube que as duas quase haviam sido substituídas, nos assentos que lhes foram designados na fila 14, por alguns passageiros que haviam arriscado uma fila de espera.

A americana Margie Law, da Filadélfia, se apegara muito aos familiares de seu noivo, Miguel. Agora ela abraçava cada um, apertando-os com força e chorando. Por fim, o casal passou para o salão de embarque.

7. Tempestades no Norte

Em Bogotá e Medellín, assim como em quase todo o território colombiano, as condições climáticas eram extremamente favoráveis naquela tarde. Muito sol, temperatura amena e agradável, quase nenhuma nuvem no céu. O mesmo acontecia no Caribe e nas Keys (arquipélago na ponta sul do estado americano da Flórida), ligeiramente a oeste da rota prevista para o Avianca 052.

Já bem mais ao norte, nas pradarias do Cinturão do Milho (Corn Belt), nos Grandes Lagos, e em todo o restante do Meio-Oeste dos Estados Unidos, uma tempestade se formara. Tratava-se de uma zona de baixa pressão com centro no estado de Illinois. Esse mau tempo agora se deslocava para o Nordeste do país, através de Indiana e Ohio, devendo atingir sua intensidade máxima no início da noite de quinta para sexta-feira em Nova York, Massachusetts e ao longo dos estados da Nova Inglaterra, estendendo-se até a costa oriental do Canadá.

Outra frente, até então estacionária, se alongava do golfo do México em direção ao norte da Flórida, Geórgia, Carolinas, Virgínia, Maryland e Nova Jersey, indo ao encontro da linha de tempestades que saíra de Illinois. Como se não bastasse, uma *jet stream* (corrente de ventos fortes localizada a grandes altitudes) se estendia do centro do Arizona até os estados da Virgínia Ocidental e da Pensilvânia. Nela, a velocidade variava de 55 a setenta nós (cem a 130 quilômetros por hora).

As previsões indicavam que a fusão dessas três massas, com ventos de direções e velocidades desencontradas, se daria na área da cidade de Nova York.

Um nevoeiro baixara sobre as estradas da Costa Leste, fazendo com que as polícias rodoviárias estaduais entrassem em alerta. O mesmo acontecia nos aeroportos La Guardia e JFK, de Nova York; Newark, de Nova Jersey; Logan, de Boston; Washington National e Dulles, da capital federal; e Philadelphia International. Em todos eles, os pousos e as decolagens eram feitos com auxílio de instrumentos. Ventos fortes, de rajada, varriam as pistas e, pior, mudavam a todo instante de direção. O limite de segurança, ou seja, as condições mínimas de visibilidade, poderia ser ultrapassado a qualquer momento em diversos aeródromos, hipótese em que eles teriam de ser fechados, sobrecarregando os demais.

Em Manhattan, os topos do Empire State Building e das torres gêmeas do World Trade Center se encontravam encobertos pela espessa camada de nuvens que se estendia sobre a ilha.

De diversas regiões do país, assim como do Canadá, do México e de outros continentes, aeronaves convergiam para a área afetada. Como, por razões de segurança, o intervalo entre os pousos fora aumentado, muitos voos começavam a ser postos em padrões de espera ao longo de suas rotas. Aviões eram obrigados pelos controladores a orbitar em pontos fixos, boa parte deles sobre o oceano Atlântico, nas proximidades do litoral.

Enquanto se preparava para embarcar no HK-2016, em Bogotá, para voar até Nova York com escala em Medellín, a tripulação de cockpit do Avianca 052, formada por Caviedes, Klotz e Moyano, não fazia a menor ideia do que acontecia em sua rota e, principalmente, em seu aeroporto de destino, o JFK de Nova York.

8. Bogotá-Medellín

No pátio do aeroporto internacional El Dorado, o comandante Laureano Caviedes embarcou no Boeing. Foi acompanhado de seus tripulantes, com exceção do engenheiro de voo Matías Moyano. Este inspecionava a parte externa da aeronave, uma de suas atribuições. No cockpit, Caviedes seguiu direto para sua poltrona, a da esquerda, e o copiloto Mauricio Klotz para a da direita.

Já sentado, o comandante passou a folhear o livro de bordo para ver as últimas anotações relativas às condições da aeronave. A manutenção da Avianca detectara algumas pequenas falhas no avião, quase todas já corrigidas, entre elas um assento da classe econômica que não reclinava, um filtro de óleo substituído no motor número 3 e um pneu trocado por desgaste.

A única observação digna de nota era a de um defeito intermitente na função *altitude hold* do piloto automático, dispositivo que mantém constante a altitude do avião. Laureano sabia que aquele componente era importante, mas não imprescindível. Sempre haveria a possibilidade de pilotar o Boeing manualmente.

Feita a leitura do diário de bordo, o comandante passou a checar os instrumentos do painel, num procedimento chamado *scanflow*, enquanto aguardava o engenheiro de voo voltar da inspeção externa. Finalmente, Matías Moyano, após conferir o término do embarque das bagagens e o fechamento das portas dos porões, chegou ao cockpit. Agora os três tripulantes de voo, Caviedes, Klotz e Moyano, passaram a percorrer os itens da checklist que precedia o acionamento dos motores. Faziam isso quando o chefe de equipe, Alberto Contreras, bateu na porta da cabine de comando e entrou.

"Posso iniciar o embarque dos passageiros?", perguntou Contreras ao comandante.

"Positivo", Caviedes nem se deu ao trabalho de girar o pescoço e olhar para trás sobre seu ombro direito.

Logo os passageiros subiam a escada e entravam no 707 pela porta dianteira, do lado esquerdo da aeronave. Os que iriam viajar na econômica — ou seja, a grande maioria — eram obrigados a passar por entre as espaçosas poltronas da primeira classe.

Nas duas cabines, as pessoas guardavam suas malas nos bagageiros (*bins*) acima das poltronas. Num voo da Colômbia para os Estados Unidos, não costumava ser muita coisa. Já na volta, após as compras em Nova York, os *bins* geralmente ficavam abarrotados e davam muito trabalho aos comissários para acomodar tudo.

Quando passou pela primeira classe, em direção à poltrona 21C, situada na econômica, o advogado Néstor Zárate viu seu velho amigo e colega de universidade Jorge Lozano, executivo da Cargill, refestelado na primeira. Os dois conversaram por alguns segundos e combinaram se encontrar em Nova York.

Assim que o embarque chegou ao fim, Zárate ficou intrigado ao ver que havia muitos lugares desocupados. Afinal de contas, ele só conseguira sua reserva na última hora. Comentou a respeito com uma das comissárias, que lhe disse que a maior parte dos passageiros entraria em Medellín.

"Este avião para em Medellín?" Até então, Néstor Zárate achava que se tratava de um voo direto, Bogotá-Nova York.

Aída Gutiérrez, que viajava na companhia de sua filha Jessica, de oito anos, ocupou uma poltrona de corredor. A menina, sentada no meio, reuniu coragem e perguntou à passageira da janela se aceitaria trocar de lugar com ela, pois queria ver a paisagem lá for.

"Não", foi a categórica resposta. Jessica ficou triste. Queria ver como o céu mudava quando se passava de um país para outro.

Também sentados na classe econômica, a americana Margie Law e seu noivo Miguel Olaya se deram as mãos. Era visível o amor que sentiam um pelo outro.

Durante o embarque dos passageiros, no cockpit os tripulantes do voo finalizavam a *before start checklist*. O engenheiro de voo Matías Moyano "cantava" cada um dos últimos itens de uma lista impressa num papel plastificado à sua frente e os dois pilotos — ou às vezes o próprio Moyano, quando o item se encontrava em seu painel — o conferiam.

Após o procedimento, houve um briefing no qual, tal como acontece em todos os voos comerciais, os três discutiram as diversas hipóteses a serem adotadas em casos de emergência, como a possibilidade de uma decolagem rejeitada — em que o avião, ainda correndo pela pista, tem de ser freado bruscamente — ou alguma anormalidade antes da V1 (velocidade crítica além da qual não é mais possível parar antes da cabeceira), ou a perda de um motor logo após a decolagem, quando teriam de fazer um procedimento de retorno ao El Dorado.

Embarque e abastecimento completados, obtida a autorização do controle de solo para a rota pretendida e acionamento dos motores, outra checklist conferida, o *cleared for start*, e os quatro motores do 707 foram acionados. Eram turbinas JT3D-3B equipadas com um dispositivo de redução de ruídos (*hush kit*), exigido pelas autoridades aeronáuticas dos Estados Unidos para diminuir a poluição sonora, da qual o Boeing 707 era pródigo.

O inconveniente do *hush kit* era que aumentava o consumo de combustível em 5%. Outros 5% tinham de ser adicionados em combustível por conta da idade da aeronave. Mas isso não era problema no trecho Bogotá-Medellín, de apenas 246 quilômetros.

Liberado pela torre do El Dorado, o voo 52 da Avianca taxiou até a cabeceira da pista 13R, de 3800 metros de extensão, da qual o Boeing decolou às 13h10 para Medellín, cinco minutos antes do horário previsto.

Bogotá-Medellín não foi exatamente um voo, na acepção completa da palavra. Tratou-se mais de um "sobe e desce", que consistiu de decolagem, voo de subida, curtíssimo percurso em nível de cruzeiro, voo de descida, aproximação para o aeroporto internacional José María Córdova, vinte quilômetros a sudeste do centro da cidade de Medellín, no departamento de Antioquia, onde o voo 52 aterrissou 54 minutos mais tarde, às 14h04.

9. Plano de voo

Enquanto o AVA052 estava estacionado no pátio do aeroporto internacional José María Córdova, em Medellín, um despachante da Avianca, profissional de 36 anos de idade e doze de experiência na função, subiu a bordo do Boeing 707 para conversar com os pilotos e com o engenheiro de voo no cockpit. Nessa ocasião, o despachante entregou aos três tripulantes um boletim meteorológico emitido dez horas antes. Poderia facilmente ter obtido dados mais recentes, que demonstrariam o agravamento das condições de tempo no Norte dos Estados Unidos, mas não o fez. O boletim obsoleto já mostrava um teto baixo e um nível de visibilidade próximo do ponto crítico em vários aeródromos da região.

Como o horário de pouso do voo 52 no JFK estava previsto para pouco antes das oito da noite (no inverno não há diferença de fuso entre Medellín e Nova York), nessa ocasião as informações de que dispunham estariam atrasadas em aproximadamente quinze horas. Isso, é claro, se a tripulação não consultasse, por rádio, outros despachantes durante o percurso, atualizando os dados climáticos.

A Avianca mantinha contrato com a Dispatch Services Incorporated, cujos escritórios ficavam no aeroporto internacional de

Miami, e que poderiam ser de grande utilidade ao longo do voo. A Dispatch não só tinha boletins meteorológicos atualizados como informações sobre o tráfego aéreo na região de Nova York, cidade onde a Pan Am também prestava serviços de despacho para a empresa colombiana, geralmente utilizados em voos do Kennedy para o sul, mas sempre à disposição em caso de necessidade.

Além de Miami e Nova York, o Avianca 052 tinha a opção de usar diversos outros auxílios de voo, disponíveis para qualquer aeronave que estivesse sobrevoando o território americano e as regiões marítimas próximas de sua costa, entre eles as estações de serviço de apoio ao voo da FAA — sigla em inglês para Administração Federal de Aviação — e as estações de Volmet — Informação Meteorológica para Aeronave em Voo —, que emitem gravações contínuas de boletins meteorológicos de inúmeros aeroportos.

Se em algum desses eventuais contatos fosse verificado que o tempo em rota piorara, podendo provocar atrasos, ou que o tráfego na área de Nova York estava muito intenso, causando atrasos nos pousos, o AVA052 poderia programar uma escala técnica em Miami, onde possuía estrutura de apoio, para completar o combustível nos tanques.

Apesar de poder contar com esses auxílios e recursos extras, a Avianca nem sempre os usava. Não raro, uma vez que o avião decolasse, os tripulantes de voo agiriam por iniciativa própria, sem consultar os despachantes. O de Medellín, por exemplo, naquele 25 de janeiro, terminaria seu turno antes que o voo 52 aterrissasse no JFK.

Em caso de fechamento do Kennedy, por causa de mau tempo, o aeroporto alternativo do Avianca 052 seria o Logan International, de Boston. Outros, além do Logan, foram considerados na conversa, e apenas na conversa, do despachante de Medellín com os tripulantes de cockpit do AVA052. Entre eles estavam os da Filadélfia, de Baltimore e o Dulles (em Washington D.C.), todos localizados a distâncias semelhantes à do Logan, pois sempre havia a possibilidade de o Kennedy e o Logan estarem fechados para pouso simultaneamente.

O HK-2016 aterrissara no José María Córdova com 67 200 libras (pouco mais de 30 mil quilos) de combustível. O 707 tinha a capacidade de levar até 162 mil libras. Mas não era necessário tudo isso num voo Medellín-Nova York, cidades distantes 3800 quilômetros. O plano de voo para essa rota, produzido por computador pela Society International Telecommunications Association (Sita), sediada em Paris, demandava um mínimo de 72 430 libras de *jet fuel* (combustível de motores a jato).

Tal quantidade nos tanques permitiria ao HK-2016 voar até o JFK, seguir em frente até o Logan e ainda circular em padrão de espera por meia hora numa altitude de 1500 pés (457 metros), incluindo uma reserva adicional de 10% do tempo de voo até o JFK, para qualquer contingência, como desvios de tempestades não previstas ou procedimentos de espera exigidos pelos órgãos de controle.

Às vezes, os pilotos da Avianca acrescentavam mais *jet fuel* do que o estipulado no plano de voo-padrão. Naquela tarde, os tripulantes do AVA052, com a concordância do despachante de Medellín, mandaram pôr outras 9500 libras no tanque, e ficaram com 82 mil.

O plano de voo do Avianca 052 para Nova York previa uma rota quase retilínea (haveria apenas duas ligeiras quebradas para a direita), rumo norte. A aeronave abandonaria o continente sul-americano cinquenta quilômetros à esquerda do porto colombiano de Cartagena e passaria a voar sobre o mar do Caribe, sobrevoando as ilhas da Jamaica e de Cuba, antes de passar pelo estreito que separa o arquipélago das Bahamas, a leste, e a península da Flórida, a oeste. Os novecentos quilômetros seguintes seriam percorridos sobre o Atlântico Norte, chegando a se afastar 350 quilômetros da Costa Leste americana, que só seria tangenciada na divisa entre as Carolinas do Sul e do Norte. A partir daí, o AVA052 sobrevoaria o litoral dos estados da Virgínia, Delaware e Nova Jersey, cruzando as bocas das baías de Chesapeake e Delaware. Nesse ponto, já estaria nos primeiros estágios do procedimento de descida para o aeroporto internacional JFK.

A maior parte do voo de cruzeiro seria feita no nível 370 (37 mil pés ou 11 277 metros de altitude). Vários centros de controle do espaço aéreo — jamaicanos, cubanos e, principalmente, norte-americanos — teriam de ser contatados durante o percurso.

Haveria a bordo 158 pessoas, ou almas, como não raro se diz em aviação, um resquício das tradições marítimas: eram 149 passageiros, incluindo diversas crianças e bebês, e nove tripulantes. Se não houvesse nenhum imprevisto, o tempo estimado de voo entre Medellín e Nova York seria de quatro horas e quarenta minutos.

Após o despachante da Avianca desembarcar do Boeing em Medellín, e antes da decolagem, um dos pilotos ou o engenheiro de voo do 707 poderia ter solicitado, por rádio, a um dos centros de auxílio americanos, ou aos despachantes de Miami ou Nova York, um boletim meteorológico mais atualizado. Mas nem Laureano Caviedes, nem Mauricio Klotz nem Matías Moyano fizeram isso.

10. Decolagem em Medellín

A decolagem do AVA052 estava programada para a pista 18, cuja cabeceira, por sinal, ficava mais próxima do terminal de passageiros. O percurso de taxiamento seria menor, mas o Boeing decolaria no sentido contrário ao de sua rota rumo norte para Nova York.

Como quase não havia vento, o comandante Laureano Caviedes, após rápida troca de ideias com o despachante, com o copiloto Mauricio Klotz e com o engenheiro de voo Matías Moyano, optou pela pista 36, partindo do lado oposto. Klotz solicitou à torre autorização para a mudança e a obteve sem maiores questionamentos.

"AVA052, plano de voo autorizado para JFK, nível de voo 350 (35 mil pés), subida por instrumentos mantendo a proa após a decolagem da pista 36, após cruzar 8 mil pés subida em rota", disse o controlador.

"Avianca 052 *heavy*", respondeu Klotz, acusando o recebimento e repetindo as instruções. O termo *heavy* (pesado) tinha de ser usado em todas as comunicações feitas por aviões com mais de 300 mil libras (136 mil quilos) de peso. Esse *heavy* implicava — por causa da esteira de turbulência provocada pelo deslocamento — espaçamento maior de eventuais aeronaves que pudessem estar em sua cola.

"Avianca 052 *heavy* solicita acionamento de um motor e posterior *push back*", pediu o copiloto na frequência do controle de solo.

No procedimento chamado *push back*, um trator, equipado com uma espécie de pinça alongada presa ao trem de pouso dianteiro do 707, empurrou o Avianca 052, de marcha a ré, até a faixa que demarcava o centro da pista de taxiamento. A tripulação de cockpit deu partida, um a um, nos três motores remanescentes, ao mesmo tempo que o tratorista, terminada sua tarefa, se desconectou do Boeing e afastou-se.

Caviedes, Klotz e Moyano deram uma conferida nos mais de cem instrumentos, botões, luzes, alavancas, pedais e interruptores da cabine de comando e se asseguraram de que tudo estava o.k. para o início do taxiamento. No interior da aeronave, o sibilo das turbinas chegava abafado pela vedação das portas e janelas. Já do lado de fora, o assovio doía nos ouvidos daqueles que se encontravam no pátio.

Caviedes dispensou o mecânico de terra que caminhara logo abaixo do nariz do jato. Fez isso através de um interfone conectado ao profissional de pista por um cabo posicionado abaixo da janela esquerda do cockpit. Enquanto isso, o copiloto Mauricio Klotz solicitou e obteve do controle de solo permissão para que iniciassem o taxiamento.

"*After start checklist* [lista de checagem após o acionamento dos motores]", Caviedes pediu ao engenheiro de voo Matías Moyano.

"*Valve open*", "*Hydraulic light out*", "*Oil pressure*", "*Fuel flow normal*", os itens se sucediam, todos recitados em inglês, como é hábito na aviação, embora a língua materna dos três tripulantes fosse o espanhol.

Enquanto o Boeing se movia no sentido sul em direção à cabeceira 36, o copiloto Mauricio Klotz acionou os flaps (superfícies móveis no bordo de fuga das asas que aumentam a sustentação da aeronave) para a posição de decolagem.

Já parados na interseção de acesso à cabeceira, Caviedes, Klotz e Moyano deram início à "*before takeoff checklist*" (lista de verificação pré-decolagem). Um perguntava e outro respondia.

"*Nacelle anti-ice* [antigelo da nacele]."
"*Off* [desligado]."
"*Start switches* [interruptores de partida]."
"*Off* [desligados]."
"*Generator breakers* [disjuntores dos geradores]."
"*Closed* [fechados]."

Pura rotina da aviação.

A torre de controle os autorizou a decolar.

"AVA052, livre decolagem da pista 36, vento norte com três nós", informou o controlador.

Eram exatamente 15h08 quando o comandante Laureano Caviedes avançou com sua mão direita em concha bem aberta os quatro manetes de aceleração, inicialmente os posicionando na vertical enquanto aguardava a estabilização dos motores e, logo após, até a potência de decolagem, ao mesmo tempo que aliviava os freios. O copiloto Mauricio Klotz acompanhou atentamente cada movimento de seu comandante. Se Laureano Caviedes sofresse um mal súbito, ele não deixaria o avião sem comando naquele momento crítico.

"Potência de decolagem", pediu Caviedes, ao que prontamente o engenheiro de voo Moyano obedeceu, realizando o ajuste fino dos manetes.

O 707 da Avianca, em prosseguimento ao voo 52, começou a se mover pela pista, no início devagar, depois ganhando velocidade. O copiloto Klotz concentrava sua atenção no indicador de velocidade do ar. Em uma aeronave, a velocidade em relação ao ar é o que importa, e não o deslocamento relativo ao solo, que não significa nada em termos aerodinâmicos.

"Oitenta nós", anunciou Klotz, num procedimento-padrão.

"V1", disse o copiloto logo depois, anunciando que o Boeing atingira uma velocidade além da qual a decolagem não podia mais ser abortada com segurança.

"*Rotate*", informou Klotz, usando o termo universal da aviação, que define o momento no qual o avião deve decolar.

"*Rotate*", repetiu Laureano Caviedes, puxando suavemente o manche.

Primeiro as da frente, logo em seguida as do trem principal, as dez rodas do Boeing se descolaram da pista de Medellín. O voo 52 da Avianca deu início à sua segunda e última etapa, até Nova York.

11. Voo de subida

Segundos depois de o AVA052 sair do chão, o copiloto Mauricio Klotz, sempre de olho no indicador de velocidade do ar, informou ao comandante Laureano Caviedes:
"V2."
V2 é a velocidade que, uma vez atingida, permite que a aeronave continue estabilizada mesmo que perca um dos motores. Como as anteriores, não é um número fixo. Varia de acordo com o peso do avião, a temperatura, a pressão atmosférica e diversos outros fatores. É calculada antes da partida.
"V2", repetiu Caviedes, conferindo a indicação em seu próprio instrumento, numa redundância característica da aviação.
"*Positive rate* [razão positiva]", anunciou Klotz, perscrutando o *climb*, instrumento que mostra a variação de altitude em pés por minuto (subindo, voando horizontal ou descendo). *Positive rate* significava que o 707 estava ganhando altura.
"*Positive rate*", confirmou o comandante, olhando para o *climb* da esquerda.
"*Gear up*", disse Caviedes, determinando que Klotz recolhesse o trem de pouso.
"*Gear up*", o copiloto precisou estender e depois puxar a mão

esquerda para trás e para cima, num gestual incômodo, para poder mover uma alavanca no painel situado entre os dois aviadores. Ouviu-se o barulho de engrenagens se movendo. Quando, abaixo deles, no ventre da fuselagem, as portas dos compartimentos dos trens de pouso se fecharam, as três luzes verdes que indicavam rodas embaixo se apagaram no indicador de posição do trem.

"*Lights out* [luzes apagadas]."

Com a aerodinâmica facilitada pela ausência de atrito do ar com as rodas, a velocidade do Boeing aumentou para 250 nós (463 km/h) enquanto o jato continuava subindo e acelerando. A temperatura exterior era de 22 graus centígrados.

"*One thousand*", Klotz informou que o voo atingira a altitude de mil pés (305 metros) acima do terreno.

"Flaps", Laureano Caviedes instruiu o copiloto a recolher os flaps à medida que o avião ganhava velocidade, permitindo assim que o Avianca 052 voasse com menos resistência ao avanço.

Klotz, com sua mão esquerda, moveu a alavanca de comando dos flaps para a posição de 14 graus e pouco depois para a posição *up* (totalmente recolhidos).

Agora o avião voava completamente *limpo*, sem a brutal resistência oferecida pelo trem de pouso e pelos flaps. Isso melhorava sua performance e eficiência, inclusive com economia de combustível.

Sendo a parte superior das asas curva e a inferior, reta, o ar fluía mais rápido em cima, criando um efeito de sucção, devido à diferença de pressão. Era isso que dava sustentação ao Boeing, tal como acontece em todas as aeronaves desde os primórdios da aviação. O fenômeno fora descoberto pelo físico e matemático suíço Daniel Bernoulli em 1738, mas posto em prática somente no início do século XX.

"*Set climb thrust* (potência de subida)." O engenheiro de voo Matías Moyano, debruçando-se sobre o console central, puxou suavemente os quatro manetes, reduzindo o ritmo de giro das turbinas.

Os três tripulantes de voo passaram a ler a "*after takeoff checklist*" (lista de verificação pós-decolagem). Um "cantava" e o outro respondia, sempre em inglês.

"*Landing gear* [trem de pouso]."
"*Up* [recolhido]."
"*No lights* [faróis apagados]."
"*O.k.*"
"*Climb thrust* [empuxo de subida]."
"*Set* [estabelecido]."

Com a ajuda do piloto automático, o HK-2016 voou no início mantendo o mesmo rumo da pista de decolagem e, após cruzar a altitude de 8 mil pés, apenas mil pés sobre o terreno, fez uma suave curva para a direita a fim de interceptar a aerovia UG438, tomando rumo norte, sempre subindo, em direção ao mar do Caribe, 370 quilômetros à frente.

Após cruzarem a altitude de 10 mil pés (3048 metros) acima do terreno, e livres do risco de colisão com pássaros, a velocidade do Boeing foi aumentada para trezentos nós (555 km/h). Por fim, o AVA052 atingiu o nível de cruzeiro: 35 mil pés (10 668 metros). O 707 continuou ganhando velocidade até alcançar 480 nós (890 km/h), ou 0,72 Mach (72% da velocidade do som), que seria seu padrão. O engenheiro de voo Moyano, após consultar sua tabela de altitudes e regimes de potência, efetuou nova redução no ritmo dos giros das turbinas, agora reguladas para voo nivelado, e o ruído na cabine diminuiu um pouco.

Eram 15h39, hora de Medellín e da Costa Leste americana.

* * *

Em Miami, um despachante da Dispatch Services Incorporated, empresa que prestava serviços para a Avianca, foi notificado por Medellín, através de uma mensagem de telex, sobre a partida do AVA052. Nem ele se preocupou em chamar o voo 52, nem este quis chamar Miami. Assim, não houve troca de informações sobre as condições meteorológicas da região nordeste americana, que se deterioravam progressivamente e das quais o operador da Dispatch tinha pleno conhecimento.

O voo 52 percorria agora a aerovia UQ105, que o levaria até o fixo (ponto imaginário, estabelecido por convenções internacionais, que aparece nas cartas aéreas) de Kiler. Voava quase perpendicularmente ao eixo central do istmo do Panamá, à esquerda. Em seu través direito, o porto colombiano de Cartagena ficou para trás.

A sul-sudoeste, a uma distância de aproximadamente trezentos quilômetros, estava a misteriosa falha de Darién, uma selva pantanosa quase intransponível que servia como barreira natural entre a Colômbia e o Panamá, vale dizer entre as Américas do Sul e Central, na qual não havia nenhuma estrada, nem mesmo a rodovia Pan-Americana, interrompida em 160 quilômetros nesse trecho desde a sua construção. Era o pouco conhecido muro das Américas.

Se tudo corresse como planejado, dali a quatro horas e dez minutos o Avianca 052 estaria pousando no aeroporto internacional John Fitzgerald Kennedy, em Nova York.

Por mais que, até aquele momento, tudo estivesse indo bem, com a tarde ensolarada e o ar sem turbulências, e o voo dentro do horário previsto, para dois passageiros a viagem era um tormento que só terminaria após a chegada ao Kennedy e a liberação pela Imigração e pela Alfândega americanas.

Com respectivamente 104 e 29 preservativos contendo cocaína pura em seus tubos digestivos, José Orlando Figueroa e Antonio Zuluaga, ambos "mulas" do tráfico, sentados na classe econômica, só se preocupavam com duas coisas: não sentir ânsias de vômito nem vontade de defecar. Ainda tinham no mínimo seis ou sete horas pela frente antes que pudessem "desovar" a mercadoria em local seguro, do qual só teriam conhecimento após o desembaraço no JFK.

As luzes de "apertem os cintos" foram apagadas.

Também na classe econômica, e percebendo que seu noivo, Miguel, se esticava todo por cima dela para ver a paisagem costeira lá fora, a americana Margie Law propôs trocar de lugar com ele, que se sentava numa poltrona de meio. Miguel Olaya aceitou com prazer a oferta de Margie.

Na mesma fileira, junto a eles, ocupando o assento do corredor, uma jovem muito bonita chorava o tempo todo. Aflita, Margie não resistiu:

"Você está bem?"

"Sim", respondeu a moça. "Só estou triste por me separar de minha família." E voltou a chorar.

Embarcados em Medellín, Miryam e Luís Montoya tentavam pôr a filha, Daniela, ainda bebê, para dormir, enquanto Diana, a irmãzinha um pouco mais velha, não parava de se mexer, pulando no colo dos pais e fazendo gracinhas para outros passageiros.

Próximos da família Montoya, Aída Gutiérrez e sua filha Jessica, de oito anos, se incomodavam com um menino que chorava o tempo todo.

Enfim, um voo normal, sem nenhum contratempo. Apenas o desconforto de um avião lotado. Havia só uma poltrona desocupada, na última fila da classe econômica.

12. Entre a Colômbia e a Jamaica

Nas *galleys* da primeira classe e da econômica, os seis comissários de bordo deram início aos seus trabalhos, entre eles o de abastecer os carrinhos de bebidas, esquentar as refeições e preparar as bandejas que seriam distribuídas aos passageiros. Com o 707 lotado, o pessoal não pararia um segundo ao longo do voo. O prato principal da econômica era frango com arroz. Na primeira, havia também a opção de trutas.

Após o almoço, as cortinas de plástico rígido das janelas seriam descidas para que a claridade radiante lá de fora não penetrasse na cabine com tanta intensidade e as pessoas fossem estimuladas a dormir, o que aliviaria o serviço de bordo. Nessa etapa do voo seria exibido, em três telões, um na primeira e dois na econômica, o filme policial *Mais forte que o ódio* (título original: *The Presidio*), com Sean Connery e Mark Harmon nos papéis principais. Cada passageiro recebera, ainda no solo, um par de fones de ouvido para acompanhar a trilha sonora da fita, com canais de áudio em espanhol (dublado) e inglês.

O tempo estava perfeito e não havia turbulência. Em sua poltrona, enquanto aguardava o almoço, o advogado Néstor Zárate tentou puxar conversa com a senhora de rosto amável na poltrona ao seu lado, mas, com respostas monossilábicas, ela deixou claro que preferia ser deixada em paz. Zárate pegou um livro de suspense de Tom Clancy que trouxera em sua bagagem de mão e começou a ler.

Em outros pontos do avião, passageiros se socializavam. Sergio Giraldo conversava animadamente com Gloria Betancourt, a quem cedera seu assento de janela, e com Mauricio Giraldo, que conhecera na fila de embarque e não era seu parente. Gloria mostrou aos dois Giraldo fotos da filha.

Na vertical do fixo de Kiler, situado no mar do Caribe, exatamente na divisa entre as águas territoriais da Colômbia e da Jamaica, o AVA052 chegou à extremidade norte da aerovia UQ105 e, dando uma guinada quase imperceptível para a esquerda, passou a percorrer a UG430, que o levaria até a costa norte de Cuba, cruzando antes as ilhas da Jamaica e o território cubano. Tudo isso estava previsto no plano de voo e inserido no equipamento de navegação antes da decolagem.

No cockpit, o comandante Laureano Caviedes, o copiloto Mauricio Klotz e o engenheiro de voo Matías Moyano permaneciam sem fazer contato com os despachantes da Avianca em Medellín e Miami, e não tinham a menor ideia das condições climáticas no prolongamento norte de sua rota.

Às seis e meia da manhã, portanto nove horas antes de o HK-2016 decolar de Medellín, especialistas dos centros de controle de voo dos Estados Unidos já discutiam a previsão meteorológica da área de Nova York. O cenário não poderia ser pior: chuva, ventos fortes e inconstantes, além de nevascas. Tudo isso combinado deveria provocar, ao longo da quinta-feira, 25, e da noite de quinta para sexta, atrasos nas chegadas, cancelamentos de decolagens e voos desviados para seus aeroportos alternativos.

Pouco antes das sete horas, a torre do JFK decidira que, em virtude da direção, da intensidade e da inconstância dos ventos de superfície, apenas duas pistas poderiam ser usadas até que (e se) o tempo melhorasse: a 22L (22 da esquerda) para os pousos; a 22R (22 da direita), para as decolagens.

Por sua vez, a torre do Logan International Airport, de Boston, justamente o aeródromo alternativo do voo 52, também estabelecera uma série de restrições.

Todos os pousos, tanto em Nova York como em Boston, teriam de ser feitos por instrumentos, através do sistema ILS (Instrumental Landing System). Formado por ondas de rádio, exibia nos painéis dos pilotos o alinhamento ou desalinhamento com a pista e o ângulo ideal de descida, para que trajetórias incorretas pudessem ser corrigidas e a aproximação para pouso pudesse ser a mais perfeita possível.

Segundos antes de tocar no solo, no entanto, a pista precisaria estar visível à frente dos para-brisas. Caso contrário, a aproximação teria de ser abortada.

Naquele 25 de janeiro tempestuoso, algumas empresas aéreas, como a United Airlines, por exemplo, já haviam se conformado em reduzir seus voos para Chicago, no Meio-Oeste, área atingida por uma nevasca que se iniciara na noite anterior. A United cogitava estender, a qualquer momento, as limitações para outros aeroportos dos estados do Norte dos Estados Unidos.

Restrições esporádicas para pousos e decolagens também estavam sendo previstas nos aeroportos da Filadélfia, de Baltimore e no Newark Liberty, em Nova Jersey. Se o mau tempo continuasse (e as previsões eram de que iria piorar), o Centro Nova

York pretendia aumentar o espaçamento entre as aeronaves, o que implicava mais retenções no ar. O mesmo faria o centro de controle de Boston.

No cockpit do AVA052, que agora se aproximava da costa sul da Jamaica, Caviedes, Klotz e Moyano lidavam com dois problemas. Um deles era trivial: escolher entre frango e truta para o almoço. O outro, um pouco mais complexo e aborrecido: voar sem a função *altitude hold* (manutenção de altitude) do piloto automático, o que tornava a pilotagem mais cansativa.

Se olhassem através das janelas laterais da cabine de comando, os três tripulantes veriam o azul do céu e do mar caribenho. Se esticassem o pescoço para a frente e observassem o panorama que se descortinava à proa do Boeing, enxergariam as praias da Jamaica.

Ao contrário de pilotos mais bem informados, eles não tinham a menor noção de que se dirigiam justamente para a área que tanto preocupava os centros de controle dos Estados Unidos.

13. Jamaica e Cuba

Ainda no curso da aerovia UG430, o Avianca 052 estava prestes a iniciar o sobrevoo da Jamaica na ponta de Portland, no extremo sul do país, situada noventa quilômetros a sudoeste da capital, Kingston. A travessia da ilha duraria menos de dez minutos.

Meia hora antes, ainda sobre o Caribe, ao entrar na área do centro Kingston, o copiloto Mauricio Klotz fizera o primeiro contato com os órgãos jamaicanos de controle de voo.

"Centro Kingston, Avianca zero cinco dois *heavy*", Klotz se identificara.

"Zero cinco dois *heavy*, prossiga", o controlador local respondera imediatamente, devolvendo a palavra ao copiloto do 707.

"Avianca zero cinco dois *heavy* procedente de Medellín, destino JFK, mantendo nível 350 (35 mil pés), estima bloqueio de Muca aos zero oito."

Com essa economia de palavras, marca registrada da aviação, Klotz informara ao controlador que esperava passar sobre a vertical de Muca, sigla do aeroporto Máximo Gómez, situado ao norte da ilha de Cuba, às 22h08 (horário de Greenwich — hora Zulu), 17h08, horário da Colômbia e da Costa Leste americana.

Em todo o mundo, as comunicações entre as aeronaves e as torres de controle tinham como base a hora Zulu.

Kingston e o Avianca ainda trocaram algumas mensagens até que o controlador jamaicano encerrou sua participação no auxílio ao voo 52. Fez isso de modo cordial e respeitoso:

"Uma boa tarde e uma boa viagem, senhor."

O território jamaicano foi deixado para trás em Montego Bay. Seguiram-se 270 quilômetros sobre o oceano até a baía de Guacanayabo, já em águas cubanas. Tal como estava previsto no plano de voo, no fixo de Muca o Avianca 052 passou para a aerovia UA301, o que implicava uma pequena curva para a direita. A próxima posição seria Ursus, uma interseção aeronáutica a oeste das Bahamas e a sudeste da península da Flórida.

O voo sobre Cuba durou quarenta minutos, ao longo dos quais o AVA052 fez um único contato com o Centro Havana, no qual se limitou a fornecer sua posição, altitude, rumo, procedência e destino. A ilha foi deixada para trás em um ponto do litoral norte, ligeiramente a leste do balneário de Varadero.

Vinte minutos mais tarde, já na vertical de Ursus, o HK-2016 fez seu primeiro contato com um centro de controle de tráfego de rotas aéreas americano, o ARTCC de Miami.

"Centro Miami, Avianca zero cinco dois *heavy*."

"Avianca zero cinco dois, aqui Centro Miami, contato radar, prossiga de acordo com seu plano de voo."

A bordo do Avianca 052, o serviço de bordo era frenético. Supervisionados pelo chefe de equipe, Alberto Contreras, os outros cinco comissários tinham de esquentar, nos fornos das *galleys*, os pratos quentes do almoço dos 149 passageiros. Na classe econômica, tudo seria servido em bandejinhas. Já na primeira, serviço à francesa. Carrinhos (*karts*) de bebida percorreriam os corredores. Era preciso andar depressa para que desse tempo para a exibição completa do filme.

Enquanto o Avianca 052 sobrevoava as ilhas do Caribe, o CFCF — sigla em inglês para Central de Controle de Fluxo Aéreo — da Administração Federal de Aviação, a FAA, sediada em Washington, discutia com o Centro de Aproximação do Aeroporto Kennedy. O chefão da CFCF exigia que o Kennedy recebesse 33 aterrissagens por hora, o que significava, em média, um pouso a cada minuto e 49 segundos. Nova York, por sua vez, pleiteava 27 ou 28 e estava coberto de razão.

"Trinta e três não dá, por causa dos conflitos com outros aeroportos e por causa dos ventos", argumentava ele. "Além disso, uma em cada cinco aeronaves está arremetendo e voltando ao topo da fila", concluiu o profissional do JFK, tentando, infrutiferamente, influenciar seu superior hierárquico na capital federal.

As duas partes discutiram a pendência e acabou prevalecendo a hierarquia.

"São 33 por hora e ponto final." Washington pôs fim à discussão, impondo um número que seria impossível cumprir.

Como o Tracon — Terminal Radar Approach Control (Controle de Aproximação por Radar do Terminal) — da área de Nova York não conseguia, por causa da tempestade, receber todos os voos que se dirigiam para lá, ficou decidido que as aeronaves seriam postas em procedimentos de espera no meio do caminho.

Três desses pontos de retenção — ORF (na costa da Virgínia), Boton (nas proximidades de Atlantic City, no estado de Nova Jersey) e CAMRN (72 quilômetros ao sul do JFK) — ficavam bem na rota do Avianca 052, que avançava mansamente em direção à extremidade leste do estreito da Flórida.

Se soubesse do mau tempo ao norte e das prováveis interrupções em ORF, Boton e CAMRN, o AVA052 poderia ter alterado um pouco a rota para a esquerda e feito um pouso técnico para reabastecimento em Miami, apenas 360 quilômetros a norte-noroeste, ou em Nassau, nas Bahamas, 320 quilômetros a nordeste.

No Avianca 052, a única preocupação naquele momento era terminar de recolher as bandejas do serviço de almoço, descer os três telões e dar início à projeção do filme *Mais forte que o ódio*. Seria preciso apressar as coisas, pois faltavam apenas pouco mais de duas horas e meia para o pouso no Kennedy e a fita demorava uma hora e 37 minutos.

14. Briga a 37 mil pés

O AVA052 sobrevoou o arquipélago de Bimini, nas Bahamas, apenas 85 quilômetros a leste do aeroporto internacional de Miami, um dos destinos regulares da empresa e onde a Dispatch Services Incorporated, serviço local de despacho contratado permanentemente pela Avianca, disponível na frequência de 130.4 mega-hertz, não foi contatado pelo voo 52.

Caviedes, Klotz e Moyano continuavam sem saber das condições climáticas em seu destino. Se quisesse, o operador da Dispatch, totalmente atualizado a respeito delas — acabara de receber o último boletim meteorológico e informações sobre os problemas de tráfego no JFK — também poderia ter chamado o 707, que voava ali perto, mas não o fez.

O Avianca 052 estava sendo monitorado pelo ARTCC de Miami. Eram 17h28m. Caviedes pediu ao copiloto:

"Mauricio, peça uma subida para o nível 370 (37 mil pés)."

Klotz não perdeu tempo:

"Centro Miami, Avianca zero cinco dois *heavy* solicita permissão para subir para o nível três sete zero."

A resposta de Miami veio na hora.

"Avianca zero cinco dois *heavy* autorizado para o nível três sete zero. Chame quando estiver nivelado em três sete zero." A redundância já evitara muitos mal-entendidos entre pilotos e controladores.

Caviedes selecionou o nível 370 no gerenciador de voo localizado no painel situado entre sua poltrona e a do copiloto, ao mesmo tempo empurrando ligeiramente para a frente, com a mão direita, os manetes de potência, sempre acompanhado pelo engenheiro de voo Matías Moyano, que, logo atrás, fazia o ajuste fino (sincronização do ritmo de giro das turbinas) conferindo o resultado em seus quatro indicadores de empuxo.

Pouco antes de atingirem o nível pretendido, o alerta de altitude os lembrou disso. O comandante Caviedes e o engenheiro Moyano, trabalhando em harmonia, fizeram a redução de potência para o regime de cruzeiro.

A nova altitude fora alcançada na interseção Adoor, ponto virtual sobre o Atlântico, no través leste de Daytona Beach.

Nas cabines de passageiros da primeira classe e da econômica, três telões exibiam uma das cenas mais marcantes do filme *Mais forte que o ódio*. O tenente-coronel Alan Caldwell, personagem interpretado por Sean Connery, impecável em seu uniforme, e com o peito repleto de condecorações, estava sentado calmamente junto ao balcão de uma lanchonete. Surgiu então um valentão (encenado pelo ator Rick Zumwalt) com quase duas vezes o peso do coronel, e começou a provocá-lo, chegando a apagar um charuto na xícara de café de Caldwell.

Inicia-se então uma das brigas mais bem produzidas por Hollywood, na qual o oficial, sem amarrotar sua farda em nenhum momento, dá uma surra impiedosa no brutamontes. No avião, os olhos dos passageiros, sobretudo os das crianças, se arregalavam enquanto Connery demolia o adversário. Gritos de admiração e aplausos a 37 mil pés de altura saudaram o mítico ator quando ele saiu sem pressa do estabelecimento, deixando o rival nocauteado no chão.

No cockpit, o copiloto Mauricio Klotz falava com o ARTCC de Jacksonville, que abrangia os estados da Flórida, da Geórgia e da Carolina do Sul, todos à esquerda da rota do voo 52. Mais uma vez houve não mais que uma troca de mensagens de rotina, sem que nenhuma das duas partes perguntasse ou mencionasse algo a respeito das condições meteorológicas das áreas de destino — Nova York ou a alternativa de Boston — do Avianca 052.

Havia diversas outras fontes de auxílio aos voos em toda a costa atlântica americana, fontes que o AVA052 também ignorou.

O sol começava a se pôr do lado esquerdo da aeronave, na direção da divisa costeira das Carolinas. À frente do cockpit, bem ao longe na linha do horizonte, já dava para se perceber um manto escuro, contrastando com as condições meteorológicas perfeitas que o AVA052 usufruíra desde a decolagem em Medellín.

Os problemas do voo Avianca 052, Medellín/JFK, estavam para começar, sem que Laureano Caviedes, Mauricio Klotz e Matías Moyano tivessem a menor noção disso.

Nos telões, Sean Connery contracenava com Jack Warden em um terraço de San Francisco, os dois completamente bêbados. A farda do coronel Alan Caldwell, que bebia direto do gargalo de uma garrafa de bourbon, estava agora toda amarrotada.

Néstor Zárate fizera uma pausa na leitura do livro de Tom Clancy para assistir à fita. Mas de repente, no meio da cena do terraço, a trilha sonora do filme foi interrompida e surgiu nos fones de ouvido de Zárate um comunicado da tripulação.

"Senhores passageiros, aqui é o comandante", disse Laureano Caviedes. "Já estamos voando no espaço aéreo dos Estados Unidos. Nosso voo encontra-se no horário e deveremos aterrissar no aeroporto internacional John F. Kennedy às dezenove horas e cinquenta minutos."

Caviedes nada falou a respeito das condições de tempo em Nova York, pois continuava a desconhecê-las totalmente.

Na primeira classe, o executivo da Cargill, Jorge Lozano, após se deliciar com uma truta e um excelente vinho branco gelado, também assistia atentamente ao filme quando surgiu o rápido comunicado do cockpit. Mas a trilha sonora da fita logo voltou ao seu fone de ouvido.

Externamente, do lado esquerdo do Boeing 707, a noite descia rapidamente sobre as praias da Costa Leste americana.

15. Hora do rush

As condições de pouso no Kennedy eram péssimas. Diversas aeronaves arremetiam na reta final, pouco antes de tocar o solo (*touchdown*), pois seus pilotos, devido à péssima visibilidade e às fortes rajadas de vento, não avistavam a pista ou erravam a aproximação.

Cada uma dessas aterragens abortadas significava mais um avião se juntando, lá em cima, à revoada dos que já circulavam em torno da área, esperando a vez de aterrissar. Todos eram seguidos nas telas de radar dos controladores, de modo que não houvesse risco de colisões. Nas torres e nos centros de controle era visível a tensão dos profissionais.

Exatamente na rampa de descida (*glide slope*) da 22L, a única pista disponível para pouso, acontecia um fenômeno muito temido pelos pilotos, chamado *windshear* (tesoura de vento) — variações abruptas na velocidade e na direção do vento. As *windshears* são invisíveis, mas podem ser detectadas pelos instrumentos dos aviões, que mostram variações bruscas nos indicadores de velocidade horizontal e vertical.

"Vamos passar o turno enfrentando *windshears* e aproximações perdidas", queixava-se um operador da torre do Kennedy para o colega ao lado, que olhava através da vidraça com um binóculo. A tensão era tanta que ambos estavam de pé em frente às suas bancadas. De suas posições, eles podiam ver os aviões pousando, decolando e taxiando, além de estudar a posição de outros nas telas de radar.

"Merda!" Era impossível evitar a praga quando uma das aeronaves arremetia. Seria mais uma espiralando ao redor do JFK, tal como uma revoada agourenta de urubus.

Com todos esses problemas, alguns voos que iriam para o Kennedy naquele final de tarde e início de noite tiveram de ser retidos em seus aeroportos de origem. Mas havia diversos outros, boa parte deles transoceânicos, que já tinham partido fazia horas, em números que a FAA subestimava, entre eles o Avianca 052, sendo que este continuava na ignorância total dos problemas de tráfego na área de destino.

Desde as quatro da tarde, a visibilidade na pista 22L era de apenas meia milha, o mínimo abaixo do qual o Kennedy seria interditado para pousos, mesmo com auxílio do ILS (Instrumental Landing System).

Embora diversos voos domésticos americanos não estivessem decolando para Nova York, os internacionais continuavam não sendo postos em espera de decolagem em seus aeroportos de origem. E o Kennedy é destino de aeronaves comerciais procedentes de todo o mundo. Por volta das 16h30, o Avianca 052 ainda voava entre Jamaica e Cuba e, portanto, ainda poderia fazer uma escala técnica em Miami se soubesse o que enfrentaria naquela noite. As condições meteorológicas no JFK se mostravam piores do que o estimado pela manhã e agora havia voos retidos ao norte do Kennedy por quase uma hora, isso sem contar outras retenções no ar ao longo de suas rotas.

Como se os problemas existentes não bastassem, a hora do rush internacional (voos procedentes da Europa em direção ao

JFK) estava começando. Após terem cruzado toda a extensão do Atlântico Norte, as reservas de combustível dessas aeronaves — e portanto sua capacidade de espera em voo sobre o destino — era quase sempre a mínima exigida pelos regulamentos.

Nas preocupações dos controladores da Costa Leste americana, os voos que procediam do México e das Américas Central e do Sul tinham menos importância. Não só eram em menor número como, em suas rotas, sobrevoavam regiões cheias de aeroportos onde poderiam pousar para reabastecer os tanques, caso quisessem chegar às áreas de Boston ou Nova York sem problemas de autonomia. O Avianca 052, que agora se aproximava de Norfolk, na Virgínia, era um desses. Seus pilotos acreditavam aterrissar em Nova York dali a aproximadamente uma hora e, de acordo com essa premissa, o combustível que tinham nos tanques era mais do que suficiente.

Só que as coisas não se passariam assim.

16. Norfolk, Virgínia

O Avianca 052 deixou de ser acompanhado pelo centro Jacksonville, passando para a competência do ARTCC de Washington. Alguns minutos depois, sobrevoou um fixo chamado Dixon, no litoral da Carolina do Norte, após ter percorrido 3100 quilômetros desde Medellín. Faltavam apenas setecentos quilômetros até Nova York.

Em Dixon, o Boeing 707 fez um ajuste de rota, com uma leve curva para a direita, voando agora para nordeste rumo à cidade de Norfolk, na Virgínia. O HK-2016 já voava havia quatro horas.

"Avianca zero cinco dois, prepare-se para entrar em padrão de espera sobre o oceano no través leste de ORF, nível três sete zero." O controlador de Washington avisou ao voo 52 que este teria de ficar dando voltas nas proximidades de Norfolk (ORF), mantendo a altitude de 37 mil pés até ser liberado para prosseguir em sua rota para o Kennedy.

No cockpit do 707, quem fazia os contatos com o pessoal de terra era sempre o copiloto Mauricio Klotz.

"Positivo, senhor, na espera sobre ORF, mantendo três sete zero. Avianca zero cinco dois *heavy*", Klotz confirmou o recebimento da instrução.

Na rápida troca de mensagens entre o voo 52 e o centro Washington, não houve nenhuma menção às condições de tempo na região de Nova York nem sobre o excesso de tráfego no JFK. Muito menos o copiloto disse algo a respeito da quantidade de combustível nos tanques do HK-2016, detalhe que não preocupava os tripulantes do Avianca até aquele momento. Afinal de contas, o 707 dispunha de combustível para duas horas extras de voo.

Dezenove horas e quatro minutos de quinta-feira, 25 de janeiro.
Agora o Avianca 052 fazia uma grande curva de 360 graus sobre as águas do extremo sul da baía de Chesapeake, a nordeste de Norfolk e a sudeste de Washington. O raio da curva era tão extenso que os passageiros, talvez com exceção daqueles mais acostumados a voar, nem percebiam que o avião dava voltas completas, sobrevoando a cada cinco minutos o mesmo fixo geográfico.

Diversas decolagens haviam sido retardadas ou canceladas nos aeroportos da Filadélfia, de Boston e dos três da área de Nova York: Kennedy, LaGuardia e Newark. Nos terminais, os passageiros se acotovelavam junto aos balcões das empresas aéreas, reclamando dos atrasos de seus voos.
"Isso é um absurdo. Eu tenho uma reunião de negócios em Denver amanhã de manhã." Algumas pessoas pareciam achar que os atendentes das companhias eram responsáveis pelo tráfego aéreo ou pelas condições meteorológicas.

No cockpit do Avianca 052, a retenção sobre Norfolk era mais um aborrecimento que uma preocupação. O comandante

Laureano Caviedes confiava plenamente no sistema de tráfego aéreo dos Estados Unidos e sabia que os controladores os levariam sãos e salvos até a reta final do JFK.

Caviedes não tinha nenhuma informação sobre as *windshears* (tesouras de vento) que ocorriam sobre a pista do aeroporto internacional J. F. Kennedy, muito menos tomara conhecimento de que, naquele instante, um em cada cinco voos arremetia na reta final. Os três tripulantes de cockpit do AVA052 ignoravam totalmente que, como se diz no jargão dos aviadores, "o pau estava comendo" em Nova York.

Sempre cumprindo instruções do centro Washington, à primeira curva completa do AVA052 seguiu-se outra, e depois mais outra e ainda outra. Para usar uma expressão técnica aeronáutica, o Boeing voava em padrão elíptico de hipódromo, sobrevoando ORF o número de vezes que os controles de terra exigissem, enquanto aguardava liberação para retomar sua rota original.

As quatro vorazes turbinas Pratt & Whitney JT3D-3B queimavam precioso combustível, queima essa maximizada pela presença dos *hush kits*, dispositivos redutores de ruídos que tinham como efeito colateral aumentar o consumo.

17. Liberados para Atlantic City

Entre os passageiros que notaram que o avião dava voltas no mesmo lugar estava a publicitária de Nova York, María Eugenia Agudelo. Mas ela não ficou preocupada. Apenas ligeiramente aborrecida ao perceber que o voo iria atrasar.

Por fim, após circular em padrão de espera durante dezenove minutos sobre o mar a leste de Norfolk, na boca da baía de Chesapeake, às 19h23 o Avianca 052 foi liberado pelo ARTCC Washington para prosseguir viagem rumo ao JFK. O próximo fixo a ser bloqueado era a interseção Boton, perto da cidade de Atlantic City, no estado de Nova Jersey.

No cockpit, o defeito no dispositivo de manutenção de altitude do piloto automático dificultava o trabalho do comandante Laureano Caviedes. Ele poderia dividir suas tarefas de pilotagem com Mauricio Klotz, mas, com seu inglês fraco, preferiu deixar para o jovem colega todo o trabalho de conversar com os controladores.

Não muito longe de onde eles se encontravam, iniciava-se a enorme frente fria que ia da parte norte da baía de Chesapeake até a costa leste do Canadá, tendo sua intensidade máxima na área de Nova York até Boston.

Na primeira classe do Boeing, o executivo da Cargill, Jorge Lozano, divertia-se com o filme de Sean Connery. O mesmo acontecia com Luz Elena Vásquez, na econômica. Só que Luz Elena dividia sua atenção entre a fita e a filha, Jessica, que não parava quieta.

Em *Mais forte que o ódio*, que chegava aos seus momentos decisivos, o coronel Caldwell, interpretado por Connery, se movia cuidadosamente — junto com seu parceiro, sargento Maclure, vivido por Jack Warden — pelo galpão de uma fábrica de bebidas à procura de um assassino que matara uma policial militar no início do filme. Eis que nesse momento o vilão acerta um tiro certeiro em Maclure, que morre nos braços do coronel.

O AVA052 agora seguia para a posição Boton. Enquanto isso, em Nova York, Héctor Vásquez, marido de Luz Elena e pai de Jessica, em companhia de um cunhado e de uma amiga, partia de carro para o Kennedy, onde iria aguardar o desembarque da mulher e da filha. Quando elas chegassem em casa, seriam surpreendidas por uma recepção de boas-vindas

A zona de tempestade estava agora abaixo do HK-2016. Mas como o Boeing permanecia em grande altitude, muito acima das nuvens, seu voo era suave, sem nenhuma turbulência para incomodar os passageiros.

Mais forte que o ódio chega ao fim. Na última cena, o sargento Maclure é enterrado com honras militares. Ao lado do coronel

Caldwell, que assiste comovido ao enterro, está sua filha Donna, interpretada por Meg Ryan.

José Orlando Figueroa e Antonio Zuluaga, "mulas" do tráfico, não haviam se interessado pelo filme, mas se preocuparam muito com o que parecia ter sido uma interrupção na rota do voo. Cada minuto a mais antes de expelirem os preservativos com cocaína em Nova York representava uma agonia extra, pois uma diarreia súbita ou ânsia de vômito poria tudo a perder.

18. Nenhuma pergunta, nenhuma resposta

Faltavam menos de quinhentos quilômetros de percurso quando o Avianca 052, após a espera de dezenove minutos circulando nos arredores de Norfolk, na Virgínia, foi liberado para seguir para Nova York. Mesmo considerando-se o tempo que seria gasto nos procedimentos de descida e de aproximação para o JFK, o *touchdown* na pista 22L se daria em pouco mais de cinquenta minutos. E o Boeing ainda tinha combustível para voar por quase duas horas.

Só que o tráfego no Kennedy estava cada vez pior, com aviões chegando de todas as partes dos Estados Unidos e do mundo. Vinte por cento das aeronaves continuavam abortando suas aproximações.

No cockpit do HK-2016, o comandante Caviedes, tal como seu copiloto Klotz e o engenheiro de voo Moyano, continuava a ignorar esse detalhe importante. Por outro lado, o operador do centro Nova York, um funcionário de trinta anos de idade que recebera o voo 52 do centro Washington, nada lhes informara a respeito das condições climáticas e de tráfego na área do JFK, limitando-se a fornecer instruções pontuais.

Quando, após atravessar a boca da baía de Delaware, o 707 chegou à interseção de Boton, a apenas 145 quilômetros de seu destino final, o voo foi posto em um segundo padrão de espera.

Sem que seus tripulantes reclamassem, ou mesmo indagassem o motivo, Nova York lhes determinou que dessem voltas ao redor de Boton. Eram 19h43.

A nova retenção durou longos 29 minutos, nos quais o avião rodou por seis vezes em volta daquele fixo. No cockpit, bocejos de puro tédio e reclamações sobre o atraso se alternavam com momentos de completo silêncio dos tripulantes. Como dependiam das instruções dos controladores de terra para tomar qualquer atitude, Caviedes, Klotz e Moyano pouco tinham a dizer um para o outro.

O voo 52 só foi liberado para retomar sua rota às 20h12. Sobre as condições prevalecentes no destino, mesmo comportamento: nenhuma pergunta dos pilotos do Avianca, nenhum esclarecimento do ARTCC de Nova York. No Boeing, apenas exclamações de alívio por estarem novamente a caminho do destino.

No cockpit, o único que se comunicava com o centro era o copiloto Mauricio Klotz, mas seu inglês quase perfeito era prejudicado pela timidez em face dos controladores americanos, que o impedia de exigir mais detalhes sobre o motivo das interrupções. Como Klotz usava um fone de ouvido, e os alto-falantes da cabine estavam desligados, Caviedes e Moyano ouviam o que o colega falava, mas não o que o ARTCC respondia.

Margie Law e seu noivo Miguel Olaya se preocupavam com o atraso. A hora prevista para a aterrissagem em Nova York já tinha passado e o avião ainda estava muito alto, sem dar o menor sinal de que começaria a descer. Após a aterrissagem e o desembaraço na Imigração e na Alfândega, Margie e Miguel ainda teriam pela frente três horas de viagem pela autoestrada 95 até a Filadélfia. E ambos planejavam trabalhar no dia seguinte.

* * *

Em seu assento de trabalho no cockpit, o engenheiro de voo Matías Moyano fazia cálculos. Ele começava a se preocupar com o nível de combustível. Pelas suas contas, alguma coisa não "fechava". Haviam consumido o equivalente a 48 minutos em esperas não previstas. Após uma eventual arremetida no JFK, o combustível restante deveria ser suficiente para voar os trinta minutos até Boston, além de uma reserva adicional de outros trinta minutos.

"Acho que não dá para esperar muito mais", agoniou-se Moyano.

19. Ele simplesmente não queria estar ali

Três minutos antes de o Avianca 052 ter sido liberado do padrão de espera na interseção Boton, próxima a Sea Island, o copiloto Mauricio Klotz, obedecendo a ordens de seu comandante, entrou em contato com o Tracon de Nova York.

Klotz pediu ao controlador que o atendeu informações sobre eventuais tempos de espera em Boston, aeroporto alternativo do voo AVA052, caso não pudessem aterrissar no aeroporto internacional John F. Kennedy. A tripulação do HK-2016 começava a pensar na hipótese de surgirem novas complicações.

"BOS [sigla do aeroporto Boston Logan] está aberto para pousos por instrumentos e aceitando tráfego", informou o Tracon.

"Avianca zero cinco dois *heavy*", o copiloto acusou o recebimento da mensagem, cujo conteúdo repassou a Caviedes, mas não contava com o aviso que veio a seguir.

"Talvez vocês tenham de entrar em novo padrão de espera de até trinta minutos em CAMRN."

CAMRN é um fixo situado 39 milhas náuticas (72 quilômetros) ao sul do Kennedy. Naquele instante, com a possibilidade de nova retenção em rota, o Avianca 052 deveria ter dito aos controladores de terra que sua situação de combustível começava a se tornar crítica. Mas simplesmente não o fez.

Enquanto isso, as condições meteorológicas no Kennedy não faziam outra coisa senão piorar. As arremetidas se sucediam — houve quatro sucessivas —, a visibilidade caíra para um quarto de milha (distância menor que a mínima exigida para pousos). Havia garoa e neblina. A velocidade do vento era de 20 nós (37 km/h), com rajadas intermitentes e *windshears*.

O Tracon passou novas instruções ao AVA052:

"Abandone nível três sete zero (37 mil pés) e desça para uno nove zero."

O Avianca 052, naquele momento com 17 mil libras nos tanques, voava para nordeste, tendo à esquerda as cidades costeiras continentais do estado de Nova Jersey e à direita as duas restingas compridas e estreitas que vão do refúgio nacional de vida selvagem de Brigantine, ao sul, até Bay Head, ao norte, uma distância de setenta quilômetros.

Na classe econômica, o passageiro Sergio Giraldo, que tinha pavor de voar, conferia as horas em seu relógio de pulso. O avião não dava o menor sinal de que descia para pouso, e Giraldo não estava gostando nem um pouco. Ele simplesmente não queria estar ali.

Quando o 707 chegou a 19 mil pés, Klotz chamou Nova York:

"Avianca zero cinco dois *heavy*, boa noite, nivelando a uno nove zero."

Tal como advertira antes, o Tracon, após instruir o voo 52 para descer para o nível 140 (14 mil pés), determinou que entrasse em novo padrão de espera, sobre o fixo CAMRN.

O copiloto Mauricio Klotz nada disse a respeito de suas condições de combustível, limitando-se a responder:

"Avianca zero cinco dois *heavy, roger* [entendido]."

Para todos os efeitos, o Avianca 052 era um voo normal, sem direito a prioridade ou tratamento diferenciado. Tanto foi assim que o controlador passou a cuidar de outra aeronave: "Pan American dois dois quatro…".

No Avianca, a quantidade de combustível nos tanques caíra para 14 mil libras, o equivalente a cerca de uma hora e quinze minutos de voo.

Eram 20h18. Se tudo tivesse corrido de acordo com o estipulado no plano de voo, o AVA052 já teria pousado no aeroporto internacional John F. Kennedy meia hora antes.

20. Padrão de espera em CAMRN

CAMRN é a sigla do fixo Cameron, no qual o AVA052 foi posto em novo padrão de espera, o terceiro desde a decolagem em Medellín. Isso aconteceu às 20h18, quando o Boeing seguia para a aproximação no JFK.
"Avianca zero cinco dois *heavy*, desça e mantenha 11 mil pés."
Enquanto espiralava ao redor de CAMRN, o Avianca recebeu essa instrução do controlador do Tracon de Nova York.
"*Roger*, descer para 11 mil. Avianca zero cinco dois *heavy*", respondeu o copiloto Mauricio Klotz.
Àquela altura, a apreensão do engenheiro de voo Moyano com relação à quantidade de combustível restante nos tanques se estendera aos pilotos Caviedes e Klotz. Este indagou ao controlador de terra:
"Tem alguma estimativa [de liberação], senhor?"
A resposta veio rápido e foi boa.
"Ah, Avianca zero cinco dois *heavy*, acho que posso encaixá-los agora."
Só que a alegria no cockpit do HK-2016 durou pouco. Antes que o comandante Laureano Caviedes pudesse retomar a rota original para o Kennedy, o Tracon refez suas instruções:

"Avianca zero cinco dois *heavy*, não foi possível encaixá-lo. Mantenha padrão de espera em uno uno mil (11 mil pés)."

O voo 52 já estava com quase uma hora de atraso. Naquele instante, em meio a mais uma curva de 360 graus pela esquerda, tinha sua proa voltada para o sentido contrário ao da rota original, tendo à sua direita a cidade de Belmar, na costa nordeste do estado de Nova Jersey. Temendo que alguns passageiros pudessem estar preocupados com a demora e com as voltas, o comandante Laureano Caviedes decidiu tranquilizá-los através de um aviso no PA (Passenger Adress), sistema de comunicação de bordo.

"Senhoras e senhores, quem lhes fala é o comandante. Peço-lhes desculpas pelo atraso. Devido ao tráfego intenso na área de Nova York, tivemos de realizar procedimentos de espera em alguns pontos de nossa rota, por solicitação do controle de aproximação. Ainda teremos de aguardar um pouco mais antes de prosseguirmos para o aeroporto Kennedy."

Naquele momento, nos arredores do JFK, 39 aeronaves esperavam sua vez de aterrissar na pista 22L, a única em operação para pousos.

Treze minutos após o início da retenção em Cameron, o controlador do ARTCC de Nova York, um profissional de 24 anos de idade e quatro de profissão, mais tarde identificado apenas como R67, determinou ao Avianca 052 que reduzisse sua velocidade para 210 nós (388 km/h).

"Reduzindo para 210 nós", confirmou Mauricio Klotz.

R67 passou a discutir a situação do Avianca com seu colega N90, do Tracon de Nova York.

"Segure o Avianca, que logo nós cuidaremos dele."

"O.k.", respondeu R67.

Com efeito, quatro minutos mais tarde, às 20h35min35, o controlador perguntou ao Avianca 052:

"Você pode aceitar uma aproximação [para o Kennedy]?"

"Afirmativo, senhor", Mauricio Klotz, exultante, respondeu de bate-pronto.

"Avianca zero cinco dois *roger*." Nova York manteve a linguagem formal. O controlador, além de lidar com o Avianca, cuidava dos voos 4, 40 e 692 da American Airlines, o 474 da Pan American Airways, o 117 da US Air, o 520 da Avensa Aerovías Venezolanas, o 102 da Evergreen International Airlines, e o 842 da El Al Linhas Aéreas Israelenses, todos se aproximando para pousar em Nova York.

Embora tenha perguntado ao Avianca se ele podia aceitar uma aproximação para o Kennedy, o controlador R67, envolvido com tantos voos, manteve o 52 no seu padrão de espera em CAMRN. Muito ansioso, o copiloto Mauricio Klotz voltou a perguntar a R67.

"O senhor tem alguma estimativa para nós?"

A resposta foi evasiva:

"Avianca zero cinco dois *heavy*, talvez nós possamos trazê-lo daqui a pouco."

Eram 20h44min09 e o AVA052 já esperava em Cameron havia 26 minutos. Suas retenções somavam 74 minutos. Nos tanques havia combustível para menos de uma hora de voo.

Mauricio Klotz não reportou para R67 a situação emergencial que se delineava. Timidamente, limitou-se a dizer:

"Obrigado. Avianca zero cinco dois *heavy*."

Segundos mais tarde, o controlador passou ao Avianca uma posição mais concreta. Disse-lhes que teriam de se manter em órbita por mais dezenove minutos. Às 21h05 seriam autorizados a continuar em direção ao Kennedy para a aproximação final.

O comandante Laureano Caviedes, que agora ouvia toda a conversa entre o avião e o centro de controle, tudo pelos alto-falantes do cockpit, cada vez mais preocupado com a situação de combustível, disse para Klotz:

"Não dá para esperar mais, Mauricio. Pede logo uma prioridade!" Caviedes não se continha de tanta irritação, a qual o copiloto não repassou, com a ênfase necessária, para o controlador.

"Bem... bem, acredito que... acredito que precisaremos de uma prioridade... ah... para a nossa aproximação."

Ao responder ao Avianca 052, R67 não revelou nenhuma emoção especial. Apenas mais uma fraseologia rotineira entre centro e aeronave.

"O.k.", disse ele, "me confirme quanto tempo mais você pode permanecer em espera e me informe seu aeroporto de alternativa."

Dessa vez o tom de voz de Mauricio Klotz foi um pouco mais enérgico.

"Temos combustível para aguardar apenas mais cinco minutos. Isso é o máximo que podemos fazer."

"Qual é o seu aeroporto de alternativa?", insistiu o controlador.

O copiloto Mauricio Klotz já não se mostrou tão firme:

"Bos... Boston." Seguiram-se alguns segundos de silêncio. "Mas não temos mais combustível para alcançá-lo."

Eram 20h45min13. Tratava-se de uma afirmação gravíssima. O voo Avianca teria de pousar no aeroporto Kennedy, ou em outro aeródromo próximo de Nova York, de qualquer maneira. Caso contrário, sofreria uma pane seca. E era a primeira vez que dava conta disso aos centros de controle de tráfego aéreo dos Estados Unidos, o que já deveria ter feito no momento em que foi retido em CAMRN.

Àquela altura, os controladores poderiam ter dado preferência total ao Avianca 052, mesmo que este não tenha transmitido nenhuma das expressões convencionais relativas a emergência: "*Emergency*", "*Mayday, Mayday*", ou "*Pan-Pan*".

Essas condições emergenciais estavam obviamente implícitas quando o voo 52 informou estar com pouco combustível e sem condições de prosseguir até sua alternativa. Era uma questão de bom senso deduzi-las, bom senso que os controladores não tiveram. Muito pelo contrário: um deles, encarregado de passar aviões de uma zona de controle para outra (*handoff controller*), limitou-se a chamar o Tracon de Nova York e informar-lhe que o Avianca 052 só podia continuar esperando em CAMRN por mais cinco minutos, sem dar maiores detalhes da situação geral.

Com efeito, mesmo sem ter pronunciado as palavras-chaves, "*Emergency*", "*Mayday, Mayday*" ou "*Pan-Pan*", às 20h44min50, Mauricio Klotz dissera para o centro de controle:

"Zero cinco dois *heavy*, penso que precisamos de prioridade."

Só que, naquele momento, o controlador R67 falava com o voo 812 da Pan American e não ouviu o apelo de Klotz. R67 explicava ao Pan Am que diversas aeronaves estavam abortando suas aproximações no JFK devido às tesouras de vento.

Finalmente, às 20h46min47, o R67 disse para o AVA052:

"Avianca zero cinco dois *heavy* liberado para o aeroporto Kennedy via proa zero quatro zero. Mantenha uno uno mil, velocidade uno oito zero."

O copiloto, aliviado, acusou o recebimento:

"O.k., liberado para o Kennedy, zero quatro zero na proa, mantendo uno uno mil pés, velocidade uno oito zero nós. Obrigado."

"Contate a aproximação de Nova York em uno dois sete decimal quatro", R67 seguiu instruindo.

"Uno dois sete decimal quatro", Klotz confirmou a frequência da aproximação e passou a receber novas instruções, em "aeronautiquês" casto, do controlador do Tracon: "Avianca zero cinco dois *heavy* aproximação Nova York obrigado, reduza sua velocidade para uno oito zero se já não tiver feito isso. Aguarde o procedimento ILS da dois dois da esquerda".

Como em todas as aproximações por instrumento, os pilotos do AVA052 precisavam saber a pista em uso e a frequência correta do ILS para sintonizá-la nos rádios de navegação de bordo.

"O.k., mantendo uno oito zero nós", confirmou Mauricio Klotz.

O diálogo entre o HK-2016 e o Tracon de Nova York transcorria sem que o controlador de terra estivesse ciente dos problemas de combustível do AVA052, já que não recebera essa informação do colega que lhe passou o voo. Klotz, por sua vez, não repetiu a advertência, nem o comandante exigiu que ele o fizesse. Não fosse esse o caso, o Avianca, por certo, teria recebido um tratamento prioritário, e não as instruções de rotina.

Eram 20h47 quando o Avianca 052 deixou o setor CAMRN para seu percurso final de 72 quilômetros até o aeroporto internacional John Fitzgerald Kennedy. Lá, as condições de visibilidade haviam melhorado um pouco, embora as tesouras de vento continuassem infernizando o trabalho dos pilotos que se aproximavam da cabeceira da 22L.

O voo 52 decolara de Medellín às 15h08 com uma autonomia de seis horas e 33 minutos. Portanto, às 21h41, um pouco mais, um pouco menos, a aeronave teria de estar, impreterivelmente, no solo. A única alternativa era seus motores se apagarem em pleno ar, por falta de combustível.

Há muito os pilotos do HK-2016 deveriam ter declarado oficialmente uma emergência, em tom enérgico, sem rodeios ou meias palavras.

Não o fizeram.

21. Sem prioridades

"Liberado para o aeroporto Kennedy." Supõe-se que no momento em que receberam essa mensagem do controlador R67, os pilotos do Avianca 052 julgaram que Nova York estava ciente de sua situação emergencial de combustível. Pelo menos é o que se pode depreender das gravações da caixa-preta do HK-2016, que registrou as conversas travadas no cockpit do AVA052 a partir das 20h53min09.

Por outro lado, é válido acreditar que os controladores tenham deduzido que a tripulação do Boeing colombiano se contentara com a liberação do padrão de espera em CAMRN, pois os aviadores não pronunciaram as palavras mágicas "*Emergency*", "*Mayday, Mayday*" ou "*Pan-Pan*", que teriam garantido ao Avianca um atalho direto para a pista 22L do JFK, furando a fila de dezenas de aeronaves à sua frente.

Mesmo com a alternativa Boston fora de cogitação por não haver combustível para voar até lá, e pelas péssimas condições meteorológicas locais, o comandante Laureano Caviedes e seu copiloto deveriam ter considerado a possibilidade de uma arremetida, ainda que não soubessem que um em cada cinco voos fazia isso naquele momento no aeroporto Kennedy.

Sempre que um avião do porte de um Boeing 707 abortava uma aterrissagem, precisava efetuar uma manobra de retorno para voltar à cabeceira de onde tinha arremetido, procedimento que consumia quase vinte minutos e queimava umas 5 mil libras de combustível, além de ser um problema adicional para o controlador de voo, que tinha de encaixá-lo na sequência de aeronaves que já estavam na aproximação final para pouso.

Essa hipótese corriqueira, a de uma arremetida, deveria ter sido incluída no briefing da tripulação ao se preparar para a descida, quando os aviadores ventilam todas as situações possíveis durante o pouso, porém não foi cogitada por Caviedes, Klotz e Moyano enquanto se dirigiam de CAMRN para o Kennedy. Com relação às *windshears*, eles simplesmente desconheciam que estivessem ocorrendo no destino.

Como, para os controladores, o AVA052 era um voo quase normal, eles lhe deram um tratamento de rotina, sem prioridades. Às 20h54min40, Nova York chamou o 707:

"Vire à direita e pegue o rumo dois dois zero. Terei de pô-lo num *spin*, senhor."

Spin significava que o Avianca 052 teria de fazer uma volta de 360 graus antes de prosseguir para o JFK. Essa prática visava aumentar a distância entre o Boeing colombiano e o avião que o precedia na fila para pouso.

"O.k., proa dois dois zero", Mauricio Klotz confirmou.

Assim que o AVA052 finalizou o *spin*, o controlador falou sobre as *windshears*, dando detalhes passados por outra aeronave. Só que fez isso de maneira indecisa e confusa, quase incompreensível.

"Avianca zero cinco dois, eu tenho um aviso de *windshear* para você... ah, a quinze... ah... um aumento de dez nós a mil e quinhentos pés, e então um aumento de dez nós a quinhentos pés reportados por um [Boeing] sete dois sete."

Mauricio Klotz não pediu maiores explicações, limitando-se a agradecer:
"Muito obrigado, Avianca zero cinco dois."

Àquela altura, a maior parte dos passageiros já notara que o avião dava voltas. A publicitária María Eugenia Agudelo, por exemplo, percebia a impaciência e o nervosismo das pessoas sentadas próximas a ela. María Lucila Torres tinha a mesma impressão. Sergio Giraldo, por sua vez, não fazia outra coisa a não ser rezar.

Luz Elena Vásquez, com sua filha Jessica, de dois anos, também se dera conta de que o avião não saía do lugar.

Enquanto isso, em Nova York, Héctor Vásquez, marido de Luz Elena e pai de Jessica, já aguardava a mulher e a filha no saguão de desembarque do International Arrivals Building do aeroporto Kennedy, acompanhado de um cunhado e de uma amiga. Héctor estava ansioso, mas não preocupado. Sabia que com aquele tempo horroroso os voos atrasavam sempre.

Para alcançar a reta final da pista 22L do JFK, o AVA052 teria primeiro de seguir uma rota oceânica ao sul da ilha de Manhattan e da baía de Jamaica, entrando no continente em Long Island. Tornaria a voar sobre o mar no estreito de Long Island. Mais a oeste, voltaria a sobrevoar terra firme na vertical da localidade de Cove Neck. Chegaria ao Kennedy como se estivesse vindo dos estados do extremo Nordeste dos Estados Unidos ou das províncias do Leste do Canadá.

Havia inúmeras aeronaves no percurso do Avianca 052 e o controle de aproximação informava sobre as mais próximas.

"Avianca zero cinco dois, tráfego cinco milhas a leste a seis mil pés", o controlador disse às 20h55min52.

"Estamos enxergando o tráfego, obrigado, Avianca zero cinco dois *heavy*", confirmou o copiloto Mauricio Klotz.

O comandante Laureano Caviedes agora se preocupava com as tesouras de vento. "O que ele [o controlador] disse a respeito de *windshears*?", Caviedes perguntou em espanhol a Klotz.

"Que um 727 reportou *windshears* na aproximação a quinhentos pés com velocidade de dez nós", esclareceu parcialmente o copiloto.

O Avianca 052 estava sendo vetorado o tempo todo pelo centro de controle de terra e se limitava a cumprir as instruções.

"Avianca zero cinco dois siga rumo zero quatro zero", determinou o controle, e o Avianca limitou-se a acusar o recebimento.

"Rumo zero quatro zero, Avianca zero cinco dois *heavy*", confirmou Klotz, enquanto Caviedes executava a manobra de mudança de proa. Ao mesmo tempo, o controlador de voo instruía outras aeronaves.

"American quarenta *heavy*, reduza velocidade para uno oito zero."

"El Al oito quarenta e dois *heavy* desça e mantenha seis mil pés."

"Avensa cinco vinte desça e mantenha cinco mil."

Para todos os efeitos, o Avianca 052 era apenas mais um avião envolvido com a difícil aproximação ao JFK em meio ao mau tempo, e não um com os tanques de combustível quase vazios.

22. Comeremos hambúrgueres esta noite

Havia quatro assentos no cockpit do HK-2016. No dianteiro esquerdo, como é de praxe na aviação, ficava o comandante Laureano Caviedes. Ao seu lado, no da direita, o copiloto Mauricio Klotz. Por trás de Klotz, numa poltrona giratória que podia ser posicionada de frente para o para-brisa ou virada para o lado direito da aeronave, sentava-se o engenheiro de voo Matías Moyano, que dispunha de um painel de instrumentos exclusivo, necessário à sua função. Atrás de Caviedes, e junto a Moyano, o quarto assento, que os pilotos chamam de *jump seat*, era usado por tripulantes extras, examinadores ou convidados dos pilotos. Este último estava desocupado no voo 52.

Às 21 horas, a preocupação de Caviedes, Klotz e Moyano era uma só: aterrissar no Kennedy antes que o combustível se esgotasse. Àquela altura, se tudo tivesse corrido conforme estipulado no plano de voo, o Avianca 052 já teria chegado ao seu destino uma hora e doze minutos antes.

O temor da tripulação de cockpit, de que alguma coisa desse errado, não era compartilhado pelos controladores de terra, uma vez que o AVA052, embora tivesse alegado estar com pouco combustível, não usara as palavras *"Emergency"*, *"Mayday, Mayday"* e *"Pan-Pan"*.

Caviedes solicitou ao copiloto que sintonizasse a frequência do ATIS (abreviatura em inglês de Serviço Automático de Informações de Terminais), que fornecia as condições meteorológicas naquele momento no aeroporto Kennedy.

"Informação 1h50m zulu (hora de Greenwich), teto duzentos pés, visibilidade um quarto de milha, chuvisco, neblina, temperatura oito graus centígrados, chuva pesada nas proximidades", foi o teor da gravação.

Seguiu-se, a pedido de Caviedes, a leitura da checklist de emergência "voando com menos de mil libras de combustível em qualquer tanque", na qual o engenheiro de voo Matías Moyano falou sobre a potência a ser aplicada nos motores em caso de arremetida. Agora já estavam plenamente cientes da grave situação em que se deixaram envolver.

Enquanto isso, o centro de controle de terra dava instruções a dois jatos comerciais, um da Pan American e outro da American Airlines. A transmissão podia ser ouvida nos alto-falantes do cockpit do Avianca 052.

"Clipper quatro sete quatro desça e mantenha dois mil [pés]."

"Descendo para dois mil. Quatro sete quatro", respondeu o Pan Am.

"American seis nove dois curve à esquerda e voe proa três dois zero."

"American seis nove dois curvando à esquerda para três dois zero."

Alguns segundos mais tarde, o controlador do terminal de aproximação por radar, Tracon, de Nova York, chamou o voo 52:

"Avianca zero cinco dois *heavy*, curve à esquerda, proa três seis zero."

"Avianca zero cinco dois *heavy* curvando à esquerda, proa três seis zero", confirmou Klotz.

"*Tres seis cero*", o engenheiro de voo Matías Moyano repetiu o rumo, agora falando em espanhol.

"*Si, tres seis cero, eso dice*", foi a vez de Mauricio Klotz. Em aviação, tal como numa mesa de cirurgia, quanto mais se fala sobre um procedimento, menor a chance de um engano que pode ser fatal.

As aeronaves que chegavam ao Kennedy eram todas direcionadas para a pista 22L, que continuava sendo a única disponível para pouso. Entre esses aviões, um Boeing 727 da American Airlines, voo 40, que foi alertado para a ocorrência de *windshears* na reta final daquela cabeceira. O controlador do Tracon deu detalhes ao piloto:

"American quarenta, há um aumento [de velocidade do vento] de dez nós a mil e quinhentos [pés] e de novo a quinhentos [pés] um aumento de dez nós."

"Copiamos isso, obrigado." Às 21h04min08 o American 40 agradeceu.

Como o Avianca 052 voava em baixa altitude e com pouca velocidade, um alarme de trem de pouso recolhido soava repetidamente no cockpit a cada redução nos manetes de potência. O sistema de bordo interpretava aqueles dados como sinais de que o avião estava se aproximando para pouso, o que ainda não era o caso.

"Eu entendo que o nariz deva ser mantido o mais baixo possível em caso de arremetida para que as bombas [de combustível] não fiquem descobertas", o comandante Laureano Caviedes disse a seus dois colegas. Nesse instante, o controlador mandou que o AVA052 alterasse seu curso.

"Avianca zero cinco dois *heavy*, vire à esquerda para proa três zero zero." Eram 21h06.

"Rumo três três zero Avianca zero cinco dois *heavy*", Mauricio Klotz confirmou para o controlador o recebimento da ordem e repetiu as instruções, em espanhol, para o comandante Laureano Caviedes:

"*Tres cero cero en el rumbo*", disse o copiloto.

Num aeroporto movimentado como o Kennedy, principalmente num início de noite crítico como aquele, diversos aviões se alinham na reta final ao mesmo tempo, um atrás do outro. Quando um deles arremete e segue para iniciar novo tráfego, o que vem atrás pousa normalmente.

No Avianca 052, Matías Moyano já cogitava abertamente a possibilidade de uma das turbinas se apagar (ocorrência que os pilotos chamam de *flame out*), se Caviedes não mantivesse o nariz da aeronave bem baixo. Quando a proa se alinhou com o rumo 300, determinado pelo controlador, Caviedes disse para Klotz:

"Rumo trezentos."

"Trezentos", confirmou o copiloto. E acrescentou: "Já estamos a vinte e sete milhas [da cabeceira da pista 22L]. Isso significa que comeremos hambúrgueres esta noite".

Eram 21h07min04. Doze segundos depois, o controlador de Nova York deu novas instruções ao voo 52.

"Avianca zero cinco dois *heavy* vire à esquerda e tome o rumo dois nove zero."

"Virando à esquerda para o rumo dois nove zero, zero cinco dois *heavy*", Mauricio Klotz acusou o recebimento da mensagem e a retransmitiu em espanhol para o comandante Laureano Caviedes:

"*Dos nueve cero en el rumbo por favor.*"

Às 21h08min34, o controlador passou a seguinte instrução ao voo 52:

"Avianca zero cinco dois *heavy* desça e mantenha três mil [pés]."

"Descendo para três mil, Avianca zero cinco dois *heavy*", acusou Klotz.

Próximos da pista de aterragem, e sentindo-se amparados pelos controladores de terra, Caviedes, Klotz e Moyano agora só tinham uma preocupação: o pouso teria de acontecer na primeira tentativa. A quantidade de combustível nos tanques do 707 dificilmente lhes permitiria uma segunda chance.

Na rampa de descida para a pista 22L as *windshears* sacudiam violentamente as aeronaves que se aproximavam para pousar.

23. Windshears

Enquanto o AVA052 se aproximava do aeroporto internacional JFK, tesouras de vento se sucediam nas proximidades da cabeceira 22L. Eram rajadas ascendentes, descendentes e horizontais que sopravam de todas as direções.

A única maneira de os pilotos daquela época identificarem essas *windshears* era detectando as variações bruscas nas velocidades indicadas no velocímetro ou no mostrador de razão de descida ou subida, instrumento conhecido como *climb*.

Às 20h35, uma mudança de turno ocorrera na Unidade Central de Controle de Fluxo (CFCF, na sigla em inglês), em Washington. O especialista que assumiu o posto recebera do colega na torre do JFK a seguinte informação:

"Está muito ruim, temos todos os tipos de *windshears*. Diversas aterrissagens estão sendo abortadas porque os pilotos não conseguem enxergar a pista. E as condições de tempo estão piorando."

A informação sobre as tesouras de vento só chegara ao cockpit do AVA052 minutos antes das 21 horas. E mesmo assim, de modo meio hesitante e confuso.

No comunicado para o AVA052, o controlador não dera maiores detalhes sobre as condições dos ventos, mesmo porque elas variavam a todo momento. Enquanto Klotz falava com Caviedes, por exemplo, a velocidade dos ventos na rampa de descida (*glide slope*) para a pista 22L do Kennedy era de sessenta nós (111 km/h) a mil pés, aproximadamente cinquenta nós a quinhentos pés e apenas vinte nós na superfície, tornando-se extremamente difícil a manutenção de uma aeronave no (indicador da) *glide slope*. Toda essa variação tinha de ser detectada e compensada pelos pilotos antes do voo rasante de baixa velocidade que precede o *touchdown*.

Na cabine de passageiros da classe econômica, o taxista colombiano de Nova York, Salomón Giraldo, de 52 anos, embalado pelos sacolejos do Boeing durante a descida, sentiu sono e começou a cochilar em sua poltrona. Giraldo, assim como os demais passageiros, e mesmo os comissários de bordo, não faziam a menor ideia do que acontecia nas proximidades do Kennedy.

Jorge Lozano, o executivo da Cargill que viajava na poltrona 4F da primeira classe, percebendo que o avião estava prestes a pousar, levantou-se e foi ao banheiro lavar o rosto com uma loção. Quando regressou à 4F, uma comissária de bordo lhe entregou seu sobretudo, que ela recolhera em Bogotá e deixara pendurado no cabide de um armário nas proximidades da *galley* da primeira. Esse mimo não era estendido aos passageiros da econômica, que tinham de espremer seus agasalhos nos compartimentos de bagagens (*bins*) sobre os assentos.

Lozano apertou seu cinto de segurança, preparando-se para o pouso.

María Lucila Torres, Margie Law e seu noivo Miguel se sentiam felizes com a chegada depois de tanto atraso.

Contando todos os passageiros e tripulantes a bordo, ninguém estava tão aliviado com o fim da viagem quanto José Orlando

Figueroa e Antonio Zuluaga, "mulas" do tráfico do cartel de Medellín, que àquela altura mal conseguiam reprimir a vontade de se livrarem dos preservativos contendo cocaína que carregavam em seus tubos digestivos.

Tanto um como o outro sabiam que bastava um dos preservativos se romper por efeito dos sucos gástricos do estômago, e eles sofreriam morte quase instantânea em meio a terríveis convulsões, causada por uma overdose que poderia matar até um cavalo.

No terminal do International Arrivals Building, no Kennedy, Héctor Vásquez, marido de Luz Elena e pai de Jessica, ambas a bordo do voo 52, viu com prazer no painel de informações próximo ao portão de desembarque que o pouso do Avianca procedente de Bogotá e Medellín estava previsto para as 21h25.

24. Aproximação para a 22L

Às 21h11min02, o controlador de vetor da final do Tracon de Nova York orientou o AVA052: "Avianca zero cinco dois *heavy*, você está a quinze milhas do marcador externo".
Por marcador externo ele se referia a um ponto a cerca de cinco milhas da cabeceira da pista 22L do Kennedy, onde havia um radiofarol. O Avianca 052 estava quase chegando ao fim de sua longa jornada.
"Mantenha dois mil [pés]", prosseguiu o controlador. E concluiu: "Você está autorizado a fazer o procedimento ILS da pista dois dois da esquerda".
No cockpit do Boeing, o comandante Laureano Caviedes deu ordens, sempre em espanhol, para o copiloto Mauricio Klotz:
"Selecione a frequência do ILS no meu lado [*pongame ILS en el mio*]." Desse modo, ambos os pilotos poderiam monitorar, cada qual com seu mostrador, a descida do HK-2016 em direção à pista de pouso.
"Selecionado no nº 1 [rádio de navegação do lado esquerdo do painel, em frente ao assento do comandante]", respondeu Klotz, completando: "Frequência cento e dez ponto nove".
"Me dê catorze graus de flaps", pediu Caviedes.

"Nós ainda estamos a treze milhas do marcador externo."
Usando essas palavras, Klotz tentou com sutileza demover o comandante de sua intenção de acionar os flaps prematuramente, o que elevaria sem necessidade o consumo de combustível, uma vez que a resistência aerodinâmica nesse caso seria maior e o jato teria de fazer mais força para se deslocar.

Caviedes não se sensibilizou com a insinuação e Klotz cumpriu a ordem.

"Flaps catorze", confirmou o copiloto.

"Contate a torre do JFK", instruiu o Tracon. "Tenham uma boa noite", complementou.

"Avianca zero cinco dois *heavy*", limitou-se a dizer Mauricio Klotz.

Enquanto o Avianca 052 se dirigia para o marcador externo, a torre do JFK lidava com três aeronaves na final: voo 40 da American Airlines, 474 da Pan American e 520 da Avensa (companhia da Venezuela).

"Liberado para pouso. Vento um nove zero graus a vinte e um nós", o controlador disse para o piloto venezuelano.

"Você já pôs os flaps em catorze?", o comandante perguntou ao copiloto no AVA052. Seu tom de voz era de impaciência e tensão.

"*Si, señor, estan set.* [Sim, senhor. Estão postos]."

No cockpit eles misturavam inglês com sua língua natal, coisa corriqueira na aviação.

A conversa dos dois era atrapalhada pelo rangido das engrenagens do estabilizador da aeronave.

Às 21h11min55, o AVA052 recebeu novas instruções da torre: "Avianca zero cinco dois *heavy*, reduza velocidade para uno seis zero [nós], se possível." Cento e sessenta nós correspondem a pouco menos de trezentos quilômetros por hora e, dependendo do peso e de outras condições prevalecentes — como estar com ou sem os flaps acionados —, nem sempre é possível para um Boeing 707 voar tão lentamente, sob pena de estolar (perder a sustentação). Daí o "se possível" dito pela torre.

Caviedes voltou a se preocupar com os flaps.

"Flaps vinte e cinco [*deme veinticinco de flaps*]."

"Flaps vinte e cinco", repetiu Klotz, enquanto, com a mão esquerda, acionava o comando respectivo no console situado entre os dois pilotos.

"Temos um tráfego à nossa frente", advertiu Mauricio Klotz. Era o El Al 842 que se aproximava do marcador externo.

A torre do Kennedy advertia o Pan Am 74 sobre fortes *windshears* informadas por um Airbus que acabara de pousar na 22L.

No Avianca 052, o ruído do estabilizador continuava prejudicando as comunicações entre os tripulantes do cockpit. A ele se sobrepôs o som do *altitude alert*, avisando que estavam atingindo 2 mil pés.

Caviedes perguntou, sempre falando em espanhol, a Klotz:

"Estamos a quantas milhas dessa coisa [marcador externo]?"

"Sete milhas, comandante", o copiloto Mauricio Klotz, atento a todos os detalhes do voo, respondeu prontamente. O *altitude alert* permanecia soando.

O US Air 117 informou à torre do JFK que as *windshears* estavam muito fortes a setecentos pés (213 metros), ou seja, quase junto ao solo, com variações na velocidade dos ventos. Os tripulantes do Avianca 052, assim como todos os pilotos que voavam na área, ouviam essas informações através dos alto-falantes do cockpit, sempre atrapalhados pelo barulho das engrenagens do estabilizador e pelos diversos alertas emitidos pelo sistema automático de monitoramento do voo.

Às 21h15 houve uma rendição no posto do Kennedy que atendia ao AVA052. O novo controlador não recebeu nenhuma informação, do colega que saía, a respeito do pouco combustível restante nos tanques do 707 colombiano, assunto que, por sinal, não fora mencionado uma só vez nas conversas entre o copiloto Mauricio Klotz e a torre do JFK.

"Avianca zero cinco dois *heavy*, você é o número três para pouso, logo atrás do 727, que está na final de nove milhas", informou o operador recém-chegado.

"Avianca zero cinco dois *roger*", Klotz acusou o recebimento da instrução.

"Já posso baixar o trem de pouso?", o comandante Laureano Caviedes consultou seu copiloto. Este, sempre preocupado com o consumo de combustível, respondeu de pronto:

"Não, penso que é muito cedo agora", respondeu.

Às 21h17min17, o controlador da torre do JFK pediu ao AVA052:

"Avianca zero cinco dois, confirme sua velocidade."

"Avianca zero cinco dois *heavy* uno quatro zero nós", informou Mauricio Klotz.

"Avianca zero cinco dois, você pode aumentar a sua velocidade em dez nós?", perguntou a torre.

Klotz não perdeu tempo.

"O.k., aumentando em uno zero nós."

Não se sabe se aborrecido por não estar entendendo o diálogo entre seu avião e o JFK, Laureano Caviedes reclamou com seu copiloto:

"Fale mais alto porque... eu não... não estou conseguindo ouvir."

Mauricio Klotz passou a falar mais alto, mas mudou de assunto.

"Nós estamos a três milhas do marcador externo agora." Dessa vez, quase gritando, ele abafou o ruído das engrenagens do estabilizador. Eram 21h18min11.

O ponteiro que fornecia a indicação da rampa de planeio da pista 22L já era agora visível nos mostradores de ILS do comandante e do copiloto. Klotz confirmou isso em inglês:

"*Glide slope alive*."

"*Cierto*", concordou Caviedes.

Às 21h19, o voo 810 da TWA informou à torre do Kennedy que uma *windshear* fora reportada nas proximidades da cabeceira da pista 22L por um DC-9, com rajadas de vento variando em dez nós (18,5 km/h) para mais ou para menos.

No Avianca 052, Caviedes ordenou ao copiloto:

"Baixe o trem [de pouso]."

"Trem embaixo", confirmou Klotz, após alguns segundos nos quais o Boeing vibrou por causa do atrito das rodas com o ar.

"Me dê quarenta", pediu o comandante, referindo-se aos flaps.

Mauricio Klotz acionou o comando e respondeu a Caviedes: "Quarenta."

Com trem embaixo e quarenta graus de flaps, a vibração do Boeing tornara-se agora intensa, por causa da resistência do ar. Era um sinal que todos os passageiros veteranos conheciam. Significava que o avião estava prestes a pousar. Sorrisos de alívio, ainda contidos, se sucederam da primeira classe à última fila da econômica.

* * *

No cockpit iniciou-se a checklist pré-pouso. Cada item era lido pelo engenheiro de voo Matías Moyano e conferido ora pelo comandante Caviedes, ora pelo copiloto Klotz:
"Alavanca dos freios aerodinâmicos, toda à frente."
"Alavanca dos freios aerodinâmicos, toda à frente."
"Luzes de não fumar acesas."
"Luzes de não fumar acesas."
"Luzes de apertem os cintos acesas."
"Luzes de apertem os cintos acesas."
"Trem baixado e travado."
"Trem baixado e travado."
"Quantidades e pressão hidráulicas."
"Normais."
"Flaps a cinquenta."
"Flaps a cinquenta."
E assim por diante.
"Checklist de pouso completa", informou Moyano às 21h19min32. Vinte e cinco segundos mais tarde, a torre do aeroporto internacional John F. Kennedy chamou o Avianca 052.
"Avianca zero cinco dois, pista dois dois da esquerda, vento uno nove zero graus a dois zero nós, autorizado o seu pouso."
Naquele exato instante o HK-2016 se encontrava na vertical do marcador externo, no início da reta final que terminaria na cabeceira da 22L. Era só se manter alinhado e rigorosamente no ângulo de planeio ideal, segundo as indicações no instrumento (*glideslope*) para executar o *touchdown* no ponto exato.

25. Reta final

Voando em meio às nuvens, o Avianca 052 sobrevoava o oceano Atlântico, ao sul da restinga das Rockways, quando, autorizado pela torre de controle, seguiu para o marcador externo e iniciou a reta final para a pista 22L do aeroporto internacional John Fitzgerald Kennedy.

O sistema de pouso por instrumentos ILS (Instrumental Landing System) ajudaria os pilotos a levar o Boeing até a cabeceira através da rampa de descida (*glide slope*). Dois mostradores no painel, um para Caviedes e outro para Klotz, exibiriam um ângulo — que parecia uma seta apontada para o aeroporto — cuja abertura se iniciava nas bordas do marcador externo e cujo vértice seria o ponto do *touchdown*.

A bissetriz desse ângulo significava a trajetória perfeita. Mas o importante era não deixar que a aeronave, representada por um aviãozinho estilizado no mostrador, rompesse seus limites — para cima, o traço superior do ângulo; para baixo, o inferior —, mantendo-se preferencialmente em sua linha mediana. Só nos metros finais é que seria preciso enxergar as luzes de balizamento da pista. Se isso não acontecesse, o jato teria de arremeter e iniciar novo procedimento de tráfego, o que naquele caso poderia ser trágico, pela pouca quantidade de combustível nos tanques do Boeing.

Às 21h20min08, o copiloto, referindo-se à direção e à velocidade do vento, disse para o comandante Laureano Caviedes:

"Cento e noventa com vinte é o vento." Naquele momento o HK-2016 estava na trajetória ideal do *glide slope*.

Dois segundos mais tarde, a torre do Kennedy pediu:

"Avianca zero cinco dois, diga sua velocidade do ar [*air speed* — velocidade do Boeing em relação ao ar]."

"Zero cinco dois está a uno quatro cinco nós", Klotz respondeu imediatamente.

Vendo que havia um espaço folgado entre o AVA052 e a aeronave que descia à sua frente, a torre do JFK perguntou:

"Avianca zero cinco dois *heavy*, você pode aumentar sua velocidade em dez nós?"

"Sim, iremos fazer isso." Mauricio Klotz virou-se para o comandante Caviedes e percebeu que ele entendera a mensagem, tanto que já pressionava os manetes para a frente a fim de acelerar o Boeing.

Caviedes pediu mais flaps, sempre misturando inglês com espanhol: "*Deme fifty* [me dê cinquenta]". Era o máximo de abertura dos flaps em um 707.

As engrenagens dos estabilizadores continuavam rangendo no cockpit. Como Klotz demorou a acionar a alavanca dos flaps, o comandante repetiu a ordem, dessa vez com rispidez:

"Flaps cinquenta. Agora!"

Mais do que depressa, Klotz obedeceu.

O engenheiro de voo Matías Moyano confirmou a nova situação aerodinâmica e fez mais algumas afirmações:

"Flaps em cinquenta. Lista de pouso completa. Tudo pronto para o pouso."

Klotz, atento ao mostrador do ILS, avisou:

"Abaixo do *glide slope*." O 707 havia rompido o limite inferior do ângulo de descida. Caviedes corrigiu a trajetória imediatamente, elevando o nariz do avião.

Vendo que o TWA que precedia o Avianca já pousara e saíra da pista, o controlador da torre do Kennedy, falando com o colega da cadeira ao lado, reclamou da lentidão dos colombianos, usando gíria americana.

"Esse Avianca", ele zombou, "deve estar com os pés do lado de fora da janela [*Avianca must be putting his feet out the window*]."

No cockpit do AVA052, a preocupação de Laureano Caviedes era agora com o vento na superfície da pista.

"Confirme o vento", ele pediu a Klotz.

"O vento é cento e noventa [direção] com vinte nós [velocidade]", respondeu o copiloto.

Até aquele momento, Caviedes não tinha maiores preocupações com o pouso, tanto que perguntou a Mauricio Klotz.

"[Após pousar] vou sair da pista para a direita, certo?"

"Para a direita, sim, senhor", Klotz confirmou.

"Atenção para as luzes da pista", alertou o comandante.

Klotz, Caviedes e Moyano, este olhando pela janela lateral, não enxergaram nada. Só o reflexo das luzes de navegação do jato no espesso nevoeiro que cercava a aeronave, intercalado de vez em quando com o clarão forte de raios, como se fossem flashes fotográficos.

Às 21h21min59, Mauricio Klotz observou:

"Ligeiramente abaixo do *glide slope*."

Naquele momento o Avianca 052 se encontrava a pouco menos de oito quilômetros de distância da cabeceira da 22L. Na verdade, não rompera o limite inferior do *glide slope*, mas se aproximara dele.

Caviedes continuava procurando ansiosamente enxergar as luzes da pista. Só então poderia mandar acender os faróis. Se fizesse isso antes, o brilho excessivo das luzes, refletido pelo nevoeiro de volta no cockpit, prejudicaria sua visão.

Às 21h22min07, quando se encontravam a seis quilômetros da cabeceira, Mauricio Klotz informou a altitude:

"Mil pés acima do nível do campo."

Dez segundos mais tarde, anunciou:

"Tudo pronto para o pouso."

Tudo pronto menos a pista à vista, seria mais correto dizer.

Mauricio Klotz agora se preocupava com o alinhamento horizontal da aeronave.

"O vento está [soprando] ligeiramente da esquerda a cento e noventa graus [direção] com vinte nós [velocidade]", ele reportou.

Às 21h22min44, o Avianca 052 rompeu novamente a borda inferior do *glide slope*, quando se encontrava a apenas seiscentos pés (182 metros) de altura e 5,3 quilômetros da cabeceira. Mauricio Klotz voltou a alertar:

"Abaixo do *glide slope*."

Ou a reação do comandante Laureano Caviedes nos controles foi exagerada, ou o voo 52 pegou uma *windshear* ascendente. O certo é que, em apenas oito segundos, o Boeing rompeu para cima a banda inferior do *glide slope*, cruzou sua bissetriz e atravessou a banda superior. Foi parar a mais de mil pés (305 metros) de altura. Sua trajetória agora, se mantida, o levaria para além do ponto de *touchdown*, o que também obrigaria o comandante a arremeter.

"*Glide slope!*", advertiu o copiloto, de olho fixo no ILS. A pouco menos de cinco quilômetros de distância da cabeceira da 22L, o Avianca 052 estava alto demais. "*Es el windshear!*", Mauricio Klotz deduziu, de novo mesclando inglês com espanhol.

Logo outra variação de vento impulsionou o HK-2016 para o solo, fazendo com que o Boeing afundasse perigosamente até abaixo do *glide slope*, revertendo toda a trajetória anterior.

"*Sink rate* [velocidade de mergulho]!", gritaram ao mesmo tempo Klotz e Moyano.

"Quinhentos pés [152 metros]!", Klotz, assustado, leu no altímetro e avisou aos companheiros.

Era uma altitude baixa demais para um avião que ainda estava longe da pista. A situação mudara totalmente. Em vez de pousar muito adiante do ponto ideal, o AVA052 agora corria o risco de chegar ao chão entre a 147ª avenida e o Rockaway Boulevard, no bairro nova-iorquino do Queens.

"*Glide slope, glide slope*", o engenheiro de voo repetiu às 21h23min08, junto com o sistema automático sonoro de bordo que avisou os pilotos que subissem imediatamente:

"*Whoop, whoop, pull up* [arremeta]!", foi o que "disse" a voz desprovida de emoção do GPWS (sigla em inglês de Sistema de Alerta de Proximidade do Solo — Ground Proximity Warning System).

Só que a corrente de vento descendente continuava forçando o Avianca para baixo, levando-o cada vez para mais perto do chão.

"*Glide slope, windshear, pull up, whoop whoop, pull up, windshear, glide slope...*", as vozes dos três tripulantes e do alarme se misturavam. E o Boeing continuava muito abaixo dos limites da rampa de descida.

Às 21h23min10, o copiloto Mauricio Klotz voltou a ler a altitude, em espanhol, repetindo:

"*Quinientos pies.*"

Naquele instante, o AVA052 se encontrava a 4,8 quilômetros da pista, abaixo do *glide slope* e afundando cada vez mais em direção ao solo. Era praticamente a tesoura de vento que pilotava o Boeing.

O GPWS "protestava" sem parar:

"*Whoop, whoop, pull up, pull up.*"
"*Whoop, whoop, pull up, pull up.*"
"*Whoop, whoop, pull up, pull up.*"
"*Whoop, whoop, pull up, pull up.*"
"*Glide slope, glide slope.*"
"*Glide slope, glide slope.*"

Agora, com o Avianca 052 voando a apenas duzentos pés de altura (61 metros), o comandante Laureano Caviedes olhava assustado para além do para-brisa.

"*Donde esta la pista? Donde esta la pista?*", ele perguntava. Era preciso vê-la para poder aterrissar com segurança. Só que a cabeceira da 22L estava a 4250 metros de distância e o jato voava praticamente rasante, próximo ao topo das edificações mais altas do local.

O GPWS continuava: "*Whoop, whoop, pull up, whoop, pull up, whoop, pull up*".

"A pista. Onde é que ela está?", Caviedes sentia-se cada vez mais angustiado. Se não a visse, não poderia aterrar. Se arremetesse, poderia ficar, em algum momento, sem combustível em pleno ar.

O Boeing subira um pouco, mas ainda estava muito baixo. Agora a distância até a cabeceira era de 3700 metros, muito grande para a altitude na qual o AVA052 se encontrava.

O GPWS prosseguia em sua ladainha:
"*Glide slope, glide slope!*"
"*Glide slope, glide slope!*"

Forçando os olhos para enxergar a pista em meio à escuridão lá fora, Mauricio Klotz engrossou o coro de lamento:

"Eu não estou vendo, eu não estou vendo [*no la veo, no la veo*]."

O comandante Laureano Caviedes não podia protelar sua decisão nem mais um segundo. Ou fazia uma aterrissagem cega onde quer que estivesse ou arremetia com os tanques quase vazios.

26. Na escuridão da noite

Às 21h23min28, o Avianca 052 estava a duas milhas náuticas (3,7 quilômetros) da cabeceira 22L do Kennedy. Sua altitude era de apenas 61 metros acima do nível do aeroporto e, a prosseguir naquele rumo e ângulo de descida, fatalmente se espatifaria contra o solo nas proximidades do Rockaway Boulevard. Mas nem o comandante Laureano Caviedes nem o copiloto Mauricio Klotz sabiam desse detalhe. Apenas não enxergavam a pista e, sem vê-la, não poderiam pousar.

Sem que suas quase 17 mil horas de voo pudessem ajudá-lo em nada naquele momento, Caviedes tomou a decisão que lhe pareceu a menos fatal. Com a mão direita empurrou as manetes do 707 para a frente, acelerando a pleno as quatro turbinas Pratt & Whitney. Ao mesmo tempo, gritou para Klotz:

"Recolha o trem de pouso, recolha o trem de pouso!"

Klotz obedeceu prontamente. Sua mão esquerda moveu a alavanca de recolhimento do trem de aterrissagem para a posição *gear up* (trem em cima).

Com os tanques quase sem combustível, o voo 52 arremeteu na escuridão da noite.

Os alarmes automáticos do cockpit "não gostaram" da manobra. "*Glide slope, glide slope, glide slope*", uma voz desprovida de emoção repetiu, sem "entender" que mãos humanas haviam abortado o pouso.

Nas cabines da primeira classe e da econômica, os passageiros, impulsionados contra os encostos de suas poltronas pela aceleração da arremetida, perceberam imediatamente a manobra. O susto foi enorme. Mas teria sido ainda maior se soubessem que os tanques do Boeing tinham combustível para voar apenas mais alguns minutos.

Entre os mais apavorados estavam os colombianos José Orlando Figueroa e Antonio Zuluaga, os "mulas" do tráfico. Foi preciso muita "disciplina" dos esfíncteres dos dois "correios" para que não expelissem a "carga" naquele instante em que o avião se projetava para a frente e para cima.

Na primeira classe, Jorge Lozano, acostumado a voar, interpretou corretamente o movimento do Boeing como o de uma arremetida.

María Lucila Torres, por uma fração de segundos, achou que o jato havia pousado. Tanto que aplaudiu. Mas logo notou que o Boeing estava subindo. Aída Gutiérrez segurou o braço da filha Jessica, de oito anos.

Sentado na poltrona 21C, de corredor, na classe econômica, o advogado Néstor Zárate achou que a subida estava sendo muito violenta. Zárate sabia que se tratava de uma aterrissagem abortada. Perguntou-se por que aquilo havia acontecido.

Margie Law e seu noivo Miguel Olaya se abraçaram com força, como se isso pudesse protegê-los.

O copiloto Mauricio Klotz entrou no sistema de alto-falantes de bordo (*passenger adresser*) e explicou brevemente aos passageiros o óbvio: o Avianca 052 arremetera. Mas não disse que não haviam encontrado a pista.

Os dez minutos seguintes do voo 52 da Avianca entrariam para a história da aviação mundial.

PARTE 2

27. Cove Neck, Long Island

Cove Neck é uma localidade residencial exclusivíssima do condado de Nassau, na Grande Nova York. Com apenas 140 casas, fica situada numa enseada de contornos irregulares na orla sul do estuário de Long Island. O centro urbano e comercial mais próximo é a cidade costeira de Oyster Bay (Baía das Ostras) a menos de três quilômetros de distância.

Em outros tempos, nas épocas da colonização e da Revolução Americana, a enseada poderia facilmente ter servido de abrigo e de esconderijo para navios de guerra, de piratas e de contrabandistas. Agora era refúgio de ricos. De ricos muito ricos.

Em 1990, menos de trezentas pessoas viviam em Cove Neck, sendo 95% delas brancas. O restante — negros, hispânicos e asiáticos — era, em sua grande maioria, composto de caseiros e empregados domésticos das mansões locais.

A planta urbanística fora nitidamente concebida para desencorajar a entrada de estranhos. Da base da colina de Cove Neck, estradinhas estreitas e sem acostamento, bem arborizadas, quase todas sem saída, subiam e se ramificavam em direção às casas meio camufladas pelos bosques que cobriam a maior parte da área.

A propriedade mais conhecida da região era Sagamore Hill, residência de Theodore Roosevelt, 26º presidente dos Estados Unidos, que governou entre 1901 e 1909.

Esse paraíso de bem-aventurados, onde famílias moram há gerações na mesma casa, fica 35 quilômetros a nordeste do aeroporto internacional JFK.

Ao longo da segunda-feira, 25 de janeiro de 1990, houve nevoeiro e chuva intermitente em Cove Neck. Caiu também um pouco de neve, tão rala que os flocos se desmanchavam no contato com as árvores, com os tetos e áreas descobertas das casas, com os deques de madeira e com o asfalto das estradas. A temperatura quase não oscilara, ficando entre um e quatro graus Celsius.

O pôr do sol acontecera às 16h52.

Por volta das nove e meia da noite, Erin Byrne, uma adolescente de dezesseis anos, aproveitou um pequeno intervalo entre uma chuva e outra para passear com seu cachorro na estrada. O pai de Erin foi junto com ela. Nas proximidades, um vizinho, Peter Whitelaw, jogava tênis em sua quadra coberta.

Rick Robinson, outro morador do bairro, olhava para fora da janela de sua sala, sem focar especialmente em nada. Mesmo porque pouco enxergaria em meio à noite e ao nevoeiro, a não ser o brilho amarelado e difuso da iluminação pública.

De repente, às 21h33, um cataclismo se abateu sobre Cove Neck, violentando a quietude da noite. Após romper a borda inferior da camada de nuvens, situada a apenas trinta metros de altura, decepar o topo de diversas árvores e resvalar no deque da casa de um homem chamado Sam Tissenbaum, a enorme estrutura metálica do Avianca 052, vermelha, prateada e branca, com o nariz apontado para cima, despencou e chocou-se de barriga contra um aclive arborizado que se iniciava numa das estradinhas de acesso às casas.

Os quatro motores foram arrancados das asas, as asas se despregaram da fuselagem (uma delas se esfacelou e a outra se dividiu em dois) e o charuto da fuselagem se partiu em vários pedaços. Um rasgo horrendo separou o conjunto formado pelos sete últimos pares de janelas, as portas traseiras e a cauda do restante do Boeing 707, que se desatrelou totalmente do corpo principal da aeronave.

O nariz do avião se quebrou no ponto onde ficava a *galley* dianteira, lançando o cockpit, como se fosse uma bala de alumínio, encosta acima, indo parar, quase que totalmente destruído, junto ao deque da frente da casa de Kay e John McEnroe, pais do tenista John McEnroe.

Não houve incêndio.

Antes de correr em direção aos destroços, Rick Robinson, que testemunhara o desastre de sua janela, conteve um surto de pânico e teve calma para chamar a polícia.

O sr. Byrne, pai da garota Erin, interpretou corretamente os sons que ouvira como os de um desastre aéreo, embora não o tivesse visto em razão da forte neblina.

"Erin, caiu um avião!", ele disse imediatamente para a filha.

Byrne saiu em disparada para casa, levando o cachorro, para telefonar para as autoridades. Em vez de seguir o pai, Erin correu para o ponto de onde viera o barulho. Os instintos da adolescente diziam que poderia haver sobreviventes, precisando de socorro imediato. Precisando dela.

Após a sequência seca dos estrondos dos choques contra os obstáculos e o estalar das árvores se quebrando, um silêncio se abateu sobre o bosque. Nem os ventos ousaram assobiar nos galhos.

De sua janela, Rick Robinson vira tudo, pois sua casa ficava a pouco mais de trinta metros do local da queda. Após também ligar para a polícia, ele correu para lá, onde já se encontrava a jovem Erin. Os dois ouviram gemidos, que se transformaram em gritos. Havia gente viva no interior do que sobrara do avião.

Outro que estava perto do ponto do desastre, o tenista Peter Whitelaw, ao sentir a quadra onde jogava tremer, pensou que um terremoto atingira a região de Long Island. Depois achou que fora um acidente de automóvel. Jamais a queda de um avião.

As pessoas, principalmente as que viajam muito, às vezes imaginam que um dia possam sofrer um desastre aéreo. Mas nunca que um avião cairá ao lado de sua casa.

28. Logo após a queda

No momento do choque do HK-2016 contra a colina em Cove Neck, os ocupantes do Boeing, devido à enorme desaceleração, foram impulsionados contra seus próprios cintos de segurança, que imediatamente dilaceraram o abdome de boa parte deles. As pessoas se viram comprimidas pelas fileiras de assentos que se desprenderam dos trilhos no chão e se amontoaram na parte dianteira da aeronave.

A fixação das poltronas não havia sido projetada para suportar uma perda inercial de tal magnitude. Com a torção da fuselagem, os parafusos explodiram para cima tal como rolhas de uma garrafa de champanhe, liberando as filas de assentos.

Carlos Patiño, sua mulher María Josephina e o filho do casal, Juan David, de sete anos, ocupavam três poltronas adjacentes na classe econômica, o garotinho na janela, o pai no corredor e María no assento do meio. Eles moravam no Queens e voltavam de uma viagem de férias à Colômbia.

Quando o avião parou completamente, Juan David estava num ponto acima do nível da mãe. Apavorada, ela tentou falar com ele: "Juan David, Juan David, Juan David".

O garotinho não respondeu, assim como não soltou um único

gemido. María, que apenas fraturara um dos pés, passou a mão pelo rosto do filho e sentiu que estava completamente ensanguentado. Carlos, o pai, fora lançado para longe. Tinha os braços quebrados e ferimentos no rosto. Mas não sentia dor. Apenas uma enorme aflição por não saber onde estava sua família.

O taxista nova-iorquino Salomón Giraldo, que dormira quase todo o tempo em que o avião circulara nas proximidades do JFK, só despertou de fato após a colisão. Ele sofrera graves ferimentos nas costas no instante do baque, mas não gritou. Sua grande aflição era o cadáver de uma criança praticamente grudado nele. Nas proximidades de Salomón, alguns mortos se amontoavam, uns por cima dos outros.

Gloria Martínez, de 32 anos, fora à Colômbia só para que uma tia idosa, e muito doente, conhecesse seu bebê, Kenny, de apenas quatro meses. Agora Gloria tinha o ombro direito deslocado, o quadril e a pélvis fraturados, além de várias escoriações. Mas nem se dera conta dos próprios ferimentos. Ela tentava, sem sucesso, alcançar Kenny, que escapara de seu colo no primeiro choque.

Embora estivesse coberto de sangue, o bebê não chorava. Soltava apenas gemidos quase imperceptíveis. Parecia ter dificuldade para respirar. Gloria tentou administrar respiração boca a boca no filho. Só que, por causa da posição e da localização dos dois entre os destroços, o máximo que ela conseguiu foi encostar a boca na testa de Kenny.

Gloria Martínez não teve alternativa a não ser testemunhar a morte do filho.

Dos doze bebês a bordo do Avianca 052, Kennedy Fernando, o Kenny, foi o único que morreu. Os demais, embora a maioria estivesse muito ferida, tinham sido protegidos pelos braços de suas mães.

O maratonista e pintor de paredes Plácido Cruz Martín, de 39 anos, cravou os dentes na mão quando sentiu que o avião ia cair. Mordeu até o osso. Martín foi o primeiro passageiro a sair do avião. Não que tivesse tomado alguma iniciativa para isso. Simplesmente foi expelido pela fresta que se abriu no terço traseiro da fuselagem do Boeing.

Martín sofreu fratura exposta numa das pernas, quebrou um dos tornozelos, rompeu os ligamentos dos joelhos, teve uma das mãos fraturada e seu rosto foi completamente lacerado.

De todos os passageiros que haviam sobrevivido à queda, Astrid López, a jovem de vinte anos que recebera a viagem como prêmio por seu desempenho escolar, era uma das que estavam em pior estado. Astrid levou uma pancada violentíssima na cabeça, pancada essa que lhe provocou uma rachadura no crânio, expondo parcialmente seu cérebro. Massa encefálica escorria pelo rosto completamente desfigurado.

María Elsa Amado González, de 41 anos, outra que morava em Nova York e voltava das férias colombianas, também se machucou muito. Fraturou as duas pernas, um tornozelo e sofreu incontáveis escoriações. Sixta Cubillos, de 54 anos, moradora de Nova Jersey, além de fraturas por todo o corpo, tinha hemorragias internas graves. María Árias, 42, moradora de Manhattan, também quebrou diversos ossos, sendo que uma das costelas perfurou seu pulmão (pneumotórax traumática), causando forte hemorragia interna. Seria morte certa caso as equipes de socorro não chegassem logo ao local do acidente.

Dos seis comissários e comissárias de bordo do Avianca 052, apenas o chefe de equipe, Alberto Contreras, sobreviveu, embora com múltiplas fraturas.

* * *

Os dois "mulas", José Figueroa e Antonio Zuluaga, também bastante feridos, tinham uma preocupação a mais. Se uma das cápsulas de cocaína se rompesse em seus tubos digestivos, eles poderiam morrer imediatamente de overdose. Caso sobrevivessem e fossem levados para um hospital, a chance de a droga ser encontrada era enorme. Figueroa, por exemplo, tinha sua barriga eviscerada.

Pouco antes de o avião bater, Miguel Olaya, noivo de Margie Law, arregalou os olhos para ela, numa expressão do mais profundo pavor. Veio então o primeiro impacto contra o solo e o desmantelamento do Boeing.

Quando Margie acordou de um desmaio inicial, encontrava-se sob os corpos de outros passageiros, alguns se mexendo, outros, imóveis. Havia também conjuntos de poltronas espalhados por todos os lados.

Tentando puxar ar dos pulmões, o que lhe provocava um imenso cansaço, Margie gritou por Miguel. Não ouviu nenhuma resposta. A escuridão era total.

Outro que desmaiara na hora da colisão foi o advogado Néstor Zárate, que sofreu muitas fraturas e ferimentos graves.

Pouco antes do desastre, Jorge Lozano, sentado na primeira classe, recebera seu sobretudo de uma das comissárias. Ao perceber que o avião estava caindo, Lozano dobrou seu corpo em direção aos joelhos, em posição fetal, e usou o casaco como proteção. Rezou embaralhada e afobadamente todas as orações das quais se recordou.

Quando se refez, após o avião parar, Lozano tentou se erguer. Mas seu cinto de segurança ainda o prendia ao assento. Ele desafivelou o cinto, mas suas pernas não lhe obedeceram. Constatou que lesionara a coluna. Optou por ficar o mais quieto que conseguisse.

Mesmo na escuridão, Jorge Lozano notou que à frente da *galley* dianteira não havia nada, a não ser um rombo obsceno arreganhado para a noite. O cockpit do Boeing simplesmente desaparecera.

Lozano se apalpou e percebeu que tinha várias costelas fraturadas. Levou a mão à boca, que doía muito, e descobriu que perdera seus dentes da frente. Ele concluiu que, apesar dos estragos, não iria morrer e resignou-se pacientemente a esperar a chegada de socorro. Sabia que estava nos arredores de Nova York e que ambulâncias, paramédicos e bombeiros não demorariam.

María Lucila Torres se afivelara com força antes da queda. Sua sorte foi que o cinto se rompeu — do contrário, poderia até cortá-la ao meio na colisão. Lucila foi lançada através da brecha da fuselagem e aterrissou no bosque a alguns metros de distância do avião. Perdeu a consciência por vários minutos.

Quando acordou, ouviu gritos que partiam de dentro da aeronave:

"Onde estão minhas pernas? Onde estão meus filhos? Valha-me Deus! Valha-me Nossa Senhora do Rosário!"

Ao sentir a iminência de um desastre, Aída Gutiérrez preocupara-se apenas com sua filha Jessica, de oito anos. Em vez de deixar a menina na poltrona ao lado, Aída desafivelou-a e a pôs em seu colo. Apertou-a com todas as suas forças. A garota se assustou:

"Pra que isso, mamãe? Pra quê?"

"Nada, querida. Fica tranquila!" Aída dizia isso para a filha quando o avião bateu.

Após o impacto, Aída ficou meio acordada, meio desmaiada. Sentiu-se flutuando em um túnel escuro, ao som de violinos. Até que ouviu Jessica chamando: "Mamãe, onde você está?". A voz vinha de um local muito perto.

As duas estavam sentadas nas proximidades do ponto onde a fuselagem se rompera. Aída decidiu que se um incêndio começasse, ela e a filha pulariam da aeronave, embora estivessem em uma posição alta em relação ao solo.

Das 158 pessoas a bordo do Avianca 052, 73 morreram na queda (ou nos minutos, horas e dias que se seguiram ao desastre). Oitenta e uma sofreram lesões sérias. Ou seja, quase meio a meio. Apenas quatro ficaram levemente feridas.

O comandante Laureano Caviedes, seu copiloto, Mauricio Klotz, e o engenheiro de voo Matías Moyano tiveram morte instantânea quando o cockpit, separado do corpo da aeronave, se chocou contra o terreno da propriedade de John McEnroe. O segredo dos dez minutos finais do voo 52 só não morreu com eles porque tudo o que falaram entre si, e com os controladores de voo, ficou gravado no CVR (Cockpit Voice Recorder), a caixa-preta do HK-2016.

29. Tem um avião caído em nosso jardim

O número 911, do telefone dos serviços de emergência, começou a receber ligações dos moradores das proximidades do local da queda do avião, uma atropelando a outra, congestionando as linhas.

"Alô, eu moro em Cove Neck, Oyster Bay", disse, por exemplo, uma voz feminina desesperada. "Tem um avião caído em nosso jardim. Em frente da casa."

Se a cena do desastre pudesse ser vista do alto, o que aconteceria mais tarde, com a chegada de helicópteros equipados de holofotes potentes, se saberia que o cockpit do Avianca 052, separado do restante da fuselagem, estava praticamente colado na casa dos pais do tenista John McEnroe. A parte principal do Boeing, dividido em dois, se imobilizara entre o terreno dos McEnroe e uma estrada vicinal. Já as últimas fileiras da classe econômica, a *galley*, as portas e os toaletes traseiros, assim como a cauda do 707, ficaram abaixo da estradinha. Eram três blocos distintos de destroços.

Rick Robinson, que testemunhara o desastre de uma das janelas de sua casa e ligara imediatamente em busca do socorro, foi um dos primeiros a chegar à cena da tragédia. A trinta metros do avião, pouco visível por causa da neblina, ele ouviu um choro quase imperceptível. Ficou feliz ao ver que havia sobreviventes. Percebeu que quem chorava era uma mulher.

A adolescente Erin Byrne, que na hora da queda do jato passeava com seu pai e o cachorro, chegou logo depois de Robinson. Ela encontrou um bebê, vivo e com ferimentos leves, se debatendo no chão, próximo à brecha aberta na fuselagem do Boeing. Pegou a criança nos braços.

Dentro do avião, duas mulheres estavam imóveis, presas aos seus cintos de segurança. Outra mulher, desesperada, gritava por seu bebê, justamente o que estava no colo de Erin, que o entregou à mãe. Mais adiante, um passageiro, com as roupas rasgadas, tremia de frio. Erin Byrne lhe deu seu próprio agasalho. E quem passou a tremer foi ela.

O reverendo Emmanuel Gratsias, de uma igreja ortodoxa grega das proximidades, foi outro que veio correndo prestar auxílio. O padre Gratsias se preocupou mais com as almas do que com os corpos. Fez orações para os mortos que foi encontrando.

Um dos feridos não se cansava de repetir "*pain* [dor]", "*pain*", "*pain*".

"Se você está sentindo dor", disse o padre, "é porque está bem." E apontou para um cadáver imóvel e silencioso quase ao lado.

Não se sabe se a frase serviu de consolo ou se o ferido, que era colombiano, entendeu as palavras do reverendo, ditas em inglês.

O primeiro médico a chegar ao local do acidente foi o dr. Scott S. Coyne, radiologista do Hospital Comunitário de Glen Cove. Coyne, também morador de Cove Neck, e que viera correndo de sua casa, usou de seu senso prático para convocar o padre ortodoxo para ajudá-lo no socorro físico às vítimas. Talvez convencido de que as almas não tinham assim tanta pressa, o reverendo Gratsias aceitou a mudança de função.

Outro residente local, o paramédico Jeff Race, percorrera uns oitocentos metros às carreiras ao ouvir o acidente. Com grande experiência em vítimas de traumas, Race, que trabalhava na cidade de Nova York, passou a administrar os primeiros socorros às vítimas, fazendo um garrote aqui, improvisando uma tala ali.

Enquanto amadores, além de médicos e paramédicos mal equipados, prestavam socorro às vítimas do Avianca 052, uma frota de mais de uma centena de ambulâncias, viaturas da polícia e do corpo de bombeiros se dirigia a toda a velocidade para o local de onde haviam sido feitos os pedidos de socorro. Logo iriam se deparar com o labirinto de estradinhas que não haviam sido planejadas para receber um tráfego tão intenso.

Ainda alheio ao que se passava em Cove Neck, um controlador do Tracon (controle de tráfego aéreo) da área de Nova York dizia, com voz pausada e desprovida de emoções, para o colega ao lado:
"Perdi contato de radar com o Avianca zero cinco dois, quinze milhas a nordeste do Kennedy."
No aconchego aquecido de seu posto de trabalho, o profissional da FAA ainda não se dera conta da tragédia que suas palavras significavam.

30. A garotinha que perdeu o sapato

Apenas onze anos mais tarde, em 11 de setembro de 2001, logo após os atentados contra as Torres Gêmeas do World Trade Center, haveria uma movimentação maior de equipes de socorro na Grande Nova York do que aquela de quinta-feira, 25 de janeiro de 1990, quando o Boeing 707, que cumpria o voo Medellín--Nova York, caiu em Cove Neck. As estradinhas locais ficaram totalmente congestionadas.

Logo a frota de serviços essenciais — 91 ambulâncias, carros de bombeiros de 37 brigadas e mais de três centenas de viaturas da polícia, com setecentos policiais — que subia as encostas foi ampliada com carros de reportagem dos principais jornais, revistas e emissoras de rádio e de TV. Sem falar dos curiosos de plantão. Em resumo, uma balbúrdia completa.

Em total desacordo com as normas de procedimento estabelecidas para essas ocasiões, os motoristas dos veículos de socorro, assim como os dos carros de reportagem, os abandonavam, bloqueando as estradas, e subiam a pé com seus companheiros até o local da queda do Boeing.

Por causa da forte neblina, os helicópteros só pousaram duas horas após o desastre — num heliporto improvisado nos fundos de uma residência localizada logo abaixo do local do impacto do Boeing —, e nesse meio-tempo os feridos tiveram de ser removidos de maca, carregados a pé morro abaixo, até a estrada principal, quase cinco quilômetros adiante, onde ambulâncias os recolhiam e os levavam para os hospitais da região. A maior parte seguiu para o Hospital Comunitário de Glen Cove, para o Hospital Universitário North Shore, em Manhasset, e para o Centro Médico do Condado de Nassau.

Às 23h30, os primeiros helicópteros enfim puderam pousar em Cove Neck. Eram aeronaves do Departamento de Polícia do Condado de Nassau e da Unidade de Aviação da Polícia da Cidade de Nova York.

Antes disso, os integrantes das equipes de resgate haviam retirado passageiros imprensados entre as fileiras de assentos, alguns já mortos e outros cobertos de sangue e com fraturas e ferimentos gravíssimos. Os médicos e paramédicos tinham de fazer uma avaliação rápida da situação de cada pessoa resgatada para decidir quem deveria receber tratamento prioritário e quem podia esperar. Aqueles em condições mais críticas eram postos em macas, com uma etiqueta vermelha presa num dedo da mão ou do pé. Teriam a preferência na remoção para os hospitais.

A aparência de Astrid López, a moça de vinte anos que viajava como prêmio por suas notas escolares em Medellín, era devastadora. Imóvel, com o rosto destroçado, o crânio rachado, o cérebro exposto e as pernas quase desmembradas, Astrid foi imediatamente dada como morta, tantas eram as fraturas. O dr. Michael Grieco, cirurgião do Hospital Comunitário de Glen Cove, um dos primeiros médicos a chegar à cena do desastre, a colocou no chão, ao lado de vários cadáveres, numa espécie de necrotério improvisado. Alguém logo cobriu inteiramente o corpo da jovem com um dos muitos lençóis cedidos por moradores das proximidades.

Eis que, passados alguns segundos, o lençol começou a se mexer.

Surpreso, o dr. Grieco mais que depressa retirou o pano. O "cadáver" gemeu baixinho. A providência seguinte do médico foi entubar a srta. López, para que ela não morresse asfixiada pelo próprio sangue. A partir desse momento, ele não saiu mais do lado dela, aplicando injeções e prestando-lhe toda a assistência com o pouco material de que dispunha em sua maleta. Isso até que o primeiro helicóptero equipado com UTI pousou em Cove Neck.

Astrid López foi rapidamente transferida para o Hospital Comunitário de Glen Cove.

O comando das operações de socorro na área do desastre foi assumido pelo chefe Thomas Reardon, da Companhia de Bombeiros de Oyster Bay. Coube a ele supervisionar os trabalhos de resgate dos sobreviventes e, mais tarde, o transporte dos cadáveres para os diversos necrotérios da região de Long Island.

Percebendo que a presença dos mortos afligia os feridos que aguardavam transporte, o chefe Reardon determinou que os corpos fossem transferidos para o gramado da casa dos pais do tenista John McEnroe.

Jessica Vásquez, de dois anos, se perdera da mãe, Luz Elena, na hora da queda. Enquanto Luz sofrera um ferimento seriíssimo na perna esquerda, Jessica tinha apenas alguns cortes no rosto e escoriações leves no corpo.

A maior preocupação da garotinha era um sapato que perdera. Por mais que o procurasse entre os destroços, não o encontrava.

Ralph Longo, um paramédico do Departamento de Polícia do Condado de Nassau, encontrou Jessica, com sangue no rosto e a roupa suja de terra e detritos. Ela agora procurava o sapato no cockpit, separado da parte central da fuselagem.

Os corpos dos pilotos Laureano Caviedes e Mauricio Klotz e do engenheiro de voo Matías Moyano continuavam presos pelos cintos às suas poltronas. Mas o objetivo principal de Jessica Vásquez, que parecia não se importar com os mortos, era achar seu sapato.

Jessica "adotou" Ralph Longo imediatamente. Ela se agarrou ao paramédico, que a partir daquele momento passou a dar exclusividade total à menininha colombiana.

María Lucila Torres tinha o pulmão direito perfurado por uma costela, a espinha dorsal e as duas pernas fraturadas, sendo a esquerda quase totalmente esmagada, mas não sentia nenhuma dor.

O primeiro paramédico que atendeu María Lucila a examinou minuciosamente e constatou que seus ferimentos eram muito graves. Providenciou na mesma hora sua remoção para uma ambulância — os helicópteros ainda não haviam chegado.

Lucila passou a hora seguinte presa no congestionamento das estradas de Cove Neck. Quando chegou ao Hospital Universitário North Shore, os médicos constataram que seu estado era desesperador. Ela foi encaminhada diretamente para o centro cirúrgico.

O taxista Salomón Giraldo tivera sua fuga do avião prejudicada pelo cadáver de um passageiro que lhe impedia os movimentos. Quando alguns bombeiros se aproximaram de onde Giraldo estava, ele gritou: "Socorro, ajudem-me aqui!".

Imediatamente os bombeiros o libertaram, levando-o para fora do avião.

Desde o instante do impacto, quando foi separada do noivo Miguel Olaya, Margie Law alternou momentos de alguma lucidez com outros de perda total de consciência. Finalmente ela percebeu que se encontrava numa ambulância, que se movia muito devagar.

Jorge Lozano, com três costelas fraturadas e perda dos dentes da frente, foi retirado de sua poltrona na primeira classe por três bombeiros. Lozano teve de esperar bastante tempo até que uma ambulância o levasse para o North Shore. Junto com ele foi outro ferido que morreu no trajeto para o hospital.

Depois que o Avianca 052 bateu na encosta de Cove Neck, o advogado Néstor Zárate permaneceu desmaiado durante meia hora. Por fim acordou. Com fraturas expostas nas pernas, Zárate também não sentia nenhuma dor. Apenas dificuldade para respirar, pois sofrera hemorragia pulmonar.

O tempo que se passou entre a queda do Boeing e a chegada do socorro pareceu uma eternidade para Zárate. Por fim surgiram os bombeiros, que o amarraram a uma maca, na qual foi levado para fora do Boeing. Um paramédico lhe aplicou uma injeção diretamente na jugular.

Quando vieram os helicópteros, Néstor Zárate foi posto num deles e transportado para o Hospital Universitário North Shore.

* * *

Dificultada pelo nevoeiro e pelo congestionamento nas estradas, a operação de resgate dos sobreviventes demorou muito mais que o previsto nos manuais de socorro. Já passava das três da madrugada — ou seja, quase seis horas após o desastre — quando o último ferido foi levado embora.

Só ficaram os mortos, agora embrulhados em sacos plásticos negros fornecidos pelas autoridades. O dia começava a clarear quando os rabecões os levaram para os necrotérios. Antes disso, peritos da polícia retiraram os cadáveres do interior dos sacos e fotografaram cada um deles para mais tarde facilitar as identificações. Um padre acompanhou os trabalhos dos profissionais, aspergindo água benta em cada morto.

Durante boa parte da noite, a adolescente Erin Byrne, uma das primeiras pessoas a chegar ao local da tragédia, auxiliara no socorro às vítimas, carregando bebês, ou ajudando sobreviventes a sair do avião. No início ela dera seu agasalho para uma delas. Pouco depois, um dos integrantes de uma equipe de resgate, vendo-a desprotegida, lhe deu seu casaco, no qual estava escrito: SYOSSET RESCUE SQUAD.

A partir daquele momento, Erin transformou-se em profissional.

Bombeiros e paramédicos, vendo-a com aquela vestimenta, lhe passaram instruções que a jovem cumpriu rigorosamente. Ela só foi embora para casa quando não havia mais nenhum ferido na colina de Cove Neck.

31. Flagrante delito

Pelo menos 88 sobreviventes do Avianca 052 foram levados para doze hospitais da região de Long Island, sendo 25 em estado muito grave. Destes, três não resistiram às lesões e morreram pouco depois de dar entrada.

A maior parte dos feridos ficou concentrada no Hospital Comunitário de Glen Cove, no Hospital Universitário North Shore, em Manhasset, e no Centro Médico do Condado de Nassau, muitos com fraturas cranianas, lesões no cérebro e nos pulmões, fraturas múltiplas nas pernas, na espinha e nos quadris, além de contusões as mais variadas.

Cirurgiões foram chamados em suas casas para se juntar aos que estavam de plantão. Não foram poucos os médicos e enfermeiros que se anteciparam a essas convocações e se apresentaram voluntariamente. Doadores de sangue surgiram de quase todos os bairros e subúrbios de Nova York, inclusive dos mais distantes. A Big Apple se mobilizou.

Se Jessica Gutiérrez, de oito anos, já ficava ansiosa pelo simples fato de se mudar da Colômbia para os Estados Unidos, onde iria morar com a mãe, Aída, a última coisa que a menina poderia ter pensado era chegar como chegou: a bordo de um helicóptero que aterrissou com mãe e filha às duas da madrugada de sexta-feira, dia 26 de janeiro, no terraço do Hospital Universitário North Shore.

A garota apresentava ferimentos leves: uma pancada no nariz e arranhões pelo corpo. Já Aída lesionara a coluna e fraturara seriamente uma das pernas. Enquanto Jessica permaneceu no ambulatório, a mãe foi levada para o centro cirúrgico, onde traumatologistas e neurocirurgiões a operaram.

Margie Law, a americana que se perdera do noivo, Miguel Olaya, no momento da queda do Boeing, fora transportada de ambulância para o Hospital Huntington, dez quilômetros a leste de Cove Neck. Foi atendida pelos cirurgiões Michael Brickman e Michael Schwartz.

O quadro clínico de Margie era devastador: fígado e intestinos rasgados pelo cinto de segurança da poltrona do avião, fratura em vértebras do pescoço e na parte baixa da coluna, fratura do fêmur direito, do tornozelo esquerdo, deslocamento traumático dos dedos do pé esquerdo, que quase foram arrancados, e um corte longo e profundo no couro cabeludo, que se iniciava logo acima da testa e ia até a nuca.

A sequência de cirurgias em Margie Law durou até a madrugada de sábado. Ao final, ela foi removida para o CTI.

María Josephina Patiño e seu marido Carlos foram levados para o Centro Médico do Condado de Nassau. Em comparação com outros sobreviventes do Avianca 052, os ferimentos do casal eram leves. María fraturara um pé. Carlos quebrara os braços e sofrera alguns ferimentos no rosto.

A grande preocupação do casal era o filho Juan David, de sete anos, que não fora para o mesmo hospital. María e Carlos, que perguntavam pelo garoto a todo momento, ainda não sabiam que ele morrera no acidente.

No mesmo hospital onde se encontravam os Patiño, o taxista Salomón Giraldo era tratado de um ferimento profundo nas costas.

O desastre não poupara praticamente ninguém.

Anestesiada numa mesa de operações do North Shore, as chances de sobrevivência de María Lucila Torres eram pequenas. E as de que não fosse preciso amputar sua perna esquerda, desprezíveis.

Durante mais de doze horas os cirurgiões se debruçaram sobre a sra. Torres, trabalhando em seu pulmão, na espinha dorsal, e tentando restabelecer a circulação na perna destroçada, reconstituindo artérias, veias, tendões, nervos e músculos.

Desastres de avião, quando não matam todo mundo, resultam em pessoas com lesões parecidas com as de vítimas de uma guerra, e María Lucila era um exemplo típico. O mesmo se pode dizer de Astrid López, a jovem que fora dada como morta no local da queda do jato, agora sendo tratada no Hospital Comunitário de Glen Cove.

Na mesa de cirurgia onde Astrid era operada, os médicos e enfermeiros se dividiam em times, todos jogando na defesa: o time de neurocirurgiões que cuidava do cérebro exposto e lesionado, o time que tentava reconstituir o que antes fora um rosto de vinte anos de idade, o time de ortopedistas que cuidava das pernas estraçalhadas, o time que mantinha o coração de Astrid López pulsando.

Era como se cada profissional batesse no peito e afirmasse categórico: "De *meus* ferimentos, esta moça não vai morrer".

O maratonista Plácido Cruz Martín era atendido no Hospital Saint Francis, em Roslyn, Long Island. Não corria risco de morte. Mas o estado lastimável de suas pernas, de seus tornozelos e de seus joelhos já dava para antecipar que jamais correria outra maratona. Isso não era pouca coisa para um atleta que já competira em diversas cidades americanas, além de obter prêmios na África, no México, no Brasil e no Canadá.

Maratonas eram a vida de Plácido Martín.

Além dos ferimentos nas pernas, Martín tinha uma mão quebrada e diversos hematomas e ferimentos no rosto.

O único tripulante que sobreviveu à queda do HK-2016 foi o chefe de equipe Alberto Contreras. Embora, tal como o corredor Plácido Martín, não corresse risco de morrer, no Centro Médico do Condado de Nassau os profissionais cuidavam de suas múltiplas fraturas.

"Condições estáveis", dizia laconicamente seu primeiro boletim médico.

Durante o percurso entre o local da tragédia e o Hospital Universitário North Shore, o executivo da Cargill Jorge Lozano testemunhara a morte de seu companheiro de ambulância.

Lozano era outro que não iria morrer. Mas, com cinco vértebras fraturadas, e perda de sensibilidade nas pernas, poderia não voltar a andar.

Do próprio hospital, Jorge ligou para sua mulher, em Bogotá, que já sabia do acidente e ficou aliviada ao ouvir a voz do marido. Ela disse que já reservara passagens no primeiro voo para Nova York.

No mesmo North Shore, o advogado Néstor Zárate, que chegara de helicóptero, foi atendido pelo dr. Dan Reiner. O estado de Zárate era crítico. Diversas hemorragias internas exigiram procedimentos cirúrgicos, no tórax e no abdome, que começaram imediatamente e duraram da meia-noite às oito da manhã. Todos os pontos de sangramento foram suturados.

Já no Hospital Saint Francis, Jessica Vásquez, a menininha que perdera o sapato, pedia ao médico que fazia um curativo em seu rosto que achasse sua mãe. Só que Luz Elena Vásquez se encontrava no North Shore, cinco quilômetros a sudoeste do Saint Francis.

O quadro de saúde de Luz era bem mais sério que o da filha. Um pedaço de madeira transfixara totalmente sua perna esquerda, resultando em múltiplas fraturas e grande perda de sangue.

Quando abriu o abdome do passageiro José Figueroa para estancar uma hemorragia interna, um cirurgião do North Shore se assombrou ao encontrar dezenas e mais dezenas de preservativos cheios de alguma substância. Deduzindo que só podia se tratar de cocaína — ainda mais sendo um avião procedente da Colômbia —, o médico mandou imediatamente avisar a polícia.

As cápsulas haviam rasgado o estômago e os intestinos de Figueroa, de dentro para fora, mas, por milagre, nenhuma delas se rompera. Antes de fazer as suturas necessárias, o cirurgião precisou vascular todo o tubo digestivo do paciente. Encontrou 104 invólucros, que depositou, um a um, numa bandeja cirúrgica.

Antonio Zuluaga, também mula do tráfico, que transportava apenas 29 preservativos, fora internado no Centro Médico do Condado de Nassau. Zuluaga quis ser esperto. Saiu do leito hospitalar e tentou se livrar das cápsulas no banheiro, usando o método "natural". Mas, sem um laxante apropriado para executar a tarefa, ficou entalado e foi surpreendido por uma enfermeira.

A polícia foi chamada, providenciou-se um purgante e Zuluaga "produziu" as provas contra si mesmo.

Enquanto isso, nos necrotérios, iniciavam-se as autópsias. E mais cocaína foi encontrada em meio às vísceras de passageiros mortos no voo 52.

32. Cara de mico

No painel de chegadas do International Arrivals Building do aeroporto JFK, o horário de pouso do Avianca 052 se mantinha teimosamente em 21h25. Até que essa informação foi substituída por outra: "Comparecer ao balcão da companhia".

Como as condições meteorológicas continuavam péssimas em Nova York — e isso era perfeitamente visível através das enormes vidraças do terminal —, Héctor Vásquez, marido de Luz Elena e pai de Jessica, ao ver a alteração, achou que o voo tinha sido desviado para outro aeroporto. Ficou mais aborrecido que preocupado. Afinal de contas, ele tinha, em casa, quarenta convidados para um jantar de boas-vindas a Luz e Jessica.

No balcão da Avianca, Vásquez e outras pessoas que aguardavam o voo 52 havia mais de duas horas foram encaminhados a um ônibus que os levaria para outro terminal. Héctor entrou em pânico. Concluiu que algo muito grave acontecera com o avião.

Já no novo local, foram todos encaminhados a uma sala onde um representante da companhia aérea não perdeu tempo com preliminares:

"O avião que vinha de Bogotá e Medellín sofreu um acidente."

Enquanto o funcionário da Avianca era metralhado por perguntas histéricas, Héctor Vásquez teve sua atenção despertada para um televisor que, num canto da sala, exibia cenas do acidente aéreo. Por uma incrível coincidência, naquele exato instante a TV mostrava sua filha Jessica, com o rosto ensanguentado e o vestidinho sujo de terra, no colo do paramédico (Ralph Longo) que a resgatara dos destroços. Apesar do sangue, a garotinha não chorava e dizia em espanhol para o socorrista:"Eu perdi o meu sapato".

Longo claramente não entendia o que a menina falava.

Aproximando-se da tela de TV, Héctor Vásquez viu que sua filha sofrera apenas alguns ferimentos. Restava descobrir o que acontecera com Luz Elena. Em condições normais, ela deveria estar ali ao lado de Jessica.

Para agravar a preocupação de Héctor, a televisão começou a exibir a passagem de macas contendo vítimas totalmente cobertas. Talvez Luz Elena estivesse morta.

Héctor Vásquez voltou para casa, onde os convidados, que já sabiam o que acontecera, continuavam lá para prestar solidariedade. Héctor agradeceu e dispensou todo mundo. Retornou ao carro e saiu para procurar Luz e Jessica nos hospitais de Long Island.

Após duas horas de busca, Vásquez encontrou sua mulher no Hospital Universitário North Shore. O médico que o atendeu explicou que Luz Elena, naquele momento sedada e recebendo uma transfusão de sangue, não corria risco de morte, mas poderia perder a perna esquerda, que apresentava múltiplas fraturas, lacerações profundas e ruptura de tendões e ligamentos.

Héctor Vásquez saiu então à procura de Jessica. Já eram sete da manhã quando a localizou no Hospital Saint Francis.

Como não via o pai desde o início de dezembro de 1989, e estava atordoada pelos sedativos que lhe deram, Jessica não o reconheceu quando ele surgiu na porta da enfermaria pediátrica.

Desconfiado, um policial não deixou que Héctor fosse ao encontro da filha. Vásquez precisou improvisar.

"*Caremico* [cara de mico], *caremico*." Era como ele tinha o hábito de chamá-la.

"*Papi, papi*", ela gritou da cama.

Liberado pelo oficial de polícia, Héctor pôde ir ao encontro da filha.

"Eu perdi o meu sapato", a garotinha imediatamente revelou seu "drama".

Héctor Vásquez abraçou e beijou a filha e lhe disse que sua mãe estava viva, só que em outro hospital.

Jessica ficou internada no Saint Francis durante uma semana, na qual foi submetida a uma operação no pé e a pequenas cirurgias plásticas nos lábios e na testa. Héctor visitava a filha pelo menos duas vezes por dia, até que pôde levá-la para casa.

No North Shore, a recuperação de Luz Elena foi lenta. Além do traumatismo na perna esquerda, ela sofria de amnésia. Nos primeiros dias de internação, Luz não sabia quem era, muito menos se lembrava do marido e da filha. Mas aos poucos foi se recordando de tudo.

Foram necessárias várias cirurgias na perna para evitar a amputação. Uma haste de metal e diversos parafusos tiveram de ser implantados. Adela, mãe de Luz, veio da Colômbia para ficar com a filha.

Após ter alta do hospital, o tratamento de Luz Elena ainda se estendeu por três longos anos, com sessões de fisioterapia. Ela precisou reaprender a andar.

Jessica Vásquez foi uma das dez crianças, além dos onze bebês, que sobreviveram ao acidente com o Avianca 052. Todos os

Natais, durante os anos que se seguiram, ela recebeu cartões e presentes do paramédico Ralph Longo, o homem que a retirou dos destroços do Boeing. Mas só foi reencontrá-lo pessoalmente vinte anos após a tragédia do HK-2016.

33. Margie e Miguel

Nos breves períodos de consciência, entre o efeito de uma sedação e outra, no Centro de Tratamento Intensivo do Hospital Huntington, em North Shore, Margie Law se angustiava com a falta de notícias do noivo. Ela não conseguia esquecer o olhar assustado de Miguel segundos antes do impacto do avião contra o solo.

Assistida o tempo todo por dois médicos, os doutores Michael Brickman e Michael Schwartz, as chances de sobrevivência de Margie, mesmo tendo resistido às múltiplas cirurgias às quais fora submetida, não eram muito grandes.

Captando imagens na lembrança, Margie Law recordou-se vagamente de ter visto Miguel deitado junto a outros passageiros, parecendo estar dormindo. Isso acontecera ainda dentro do Boeing, antes da chegada das equipes de socorro.

Na Filadélfia, os pais e os dois irmãos de Margie tomaram conhecimento do desastre pela televisão, pouco depois da ocorrência. Imediatamente se deslocaram de carro para Nova York. Mesmo sem ter a menor ideia de suas chances de sobrevivência, foram, é óbvio, procurá-la primeiro nos hospitais. Depois de percorrer vários deles, acabaram por encontrá-la no Huntington. A partir desse momento, a jovem passou a ter a companhia permanente da família, o que lhe ajudou a lutar pela vida.

Miguel Olaya morrera no desastre, em consequência de uma hemorragia pulmonar. Seu corpo fora identificado e removido para o necrotério. A imprensa já noticiara isso. Faltava alguém encontrar o momento propício para dar a notícia a Margie, que, além dos ferimentos e das sequelas das cirurgias, desenvolvera pneumonia e pancreatite, agravadas por uma arritmia cardíaca. Todos temiam uma piora em seu já precaríssimo estado de saúde assim que ela soubesse do destino de Miguel.

Só dezesseis dias depois da queda do Avianca 052 o dr. Michael Brickman contou a Margie Law o que acontecera ao noivo. Como não podia deixar de ser, ela ficou extremamente abalada.

O corpo de Miguel Olaya fora trasladado para Bogotá, onde a família o enterrou.

Margie Law foi se recuperando aos poucos, até que a levaram de ambulância para o centro de reabilitação Bryn Mawr, a menos de vinte quilômetros de sua casa, na Pensilvânia.

A partir da segunda quinzena de abril, Margie passou a se locomover em uma cadeira de rodas, ainda sofrendo dores excruciantes. No corpo e na alma. Nem a uma missa em memória de Miguel, celebrada na igreja católica que os noivos frequentavam, ela pôde ir. Os médicos a proibiram.

Como pequeno consolo, Margie Law recebeu de Cecilia, sua ex-futura sogra, uma fotografia da lápide do túmulo de Miguel.

Por causa das lesões nas pernas, Margie não pôde continuar em seu emprego no restaurante, pois a função a obrigava a ficar de pé quase o tempo todo. Resolveu então entrar para uma universidade, onde se formou em sociologia.

Só na segunda metade da década de 1990 Margie Law voltou a namorar. Após o término de um relacionamento firme e prolongado, descobriu que estava grávida. Optou então por ser mãe solteira.

Jessica Rose, nascida no final de 1998, restituiu a Margie o gosto pela vida, perdido naquela noite chuvosa de quinta-feira, 25 de janeiro de 1990, numa encosta fria e enevoada em Long Island.

34. Tempos de martírio

Astrid López, a estudante dada como morta logo após o acidente, permaneceu várias semanas em coma profundo no Hospital Comunitário de Glen Cove. No dia 31 de janeiro, sua mãe, Myriam Ballesteros, chegou de Medellín, onde deixou seus outros cinco filhos, para ficar com Astrid. Os médicos não lhe deram muitas esperanças.

Mais tarde, quando Astrid López recuperou a consciência, Rosita Lazar, voluntária da Cruz Vermelha, tornou-se sua intérprete, assim como da sra. Ballesteros, até que um professor foi designado para ensinar inglês à jovem colombiana. As aulas serviram também como terapia ocupacional.

Astrid permaneceu internada no hospital durante mais de cinco meses, período em que aprendeu a nova língua. No dia 24 de maio, ela conseguiu andar pela primeira vez, embora por apenas alguns segundos, tremendo e chorando de dor. Em suas pernas, placas de metal e inúmeros parafusos uniam os ossos que iam aos poucos se calcificando.

Finalmente na quinta-feira, 21 de junho, 147 dias após o desastre, mãe e filha se mudaram para um apartamento nas proximidades, de onde saíam todo dia para tratamento fisioterápico e psicológico de Astrid no Comunitário.

E assim se passou o ano de 1990 para Astrid López, até que ela e a mãe puderam retornar a Medellín. Nos tempos que se seguiram, Astrid voltou várias vezes a Nova York para acompanhamento médico e novas cirurgias plásticas.

Os ferimentos da publicitária María Eugenia Agudelo foram tão ou mais graves que os da jovem Astrid: fraturas nas duas pernas, no rosto, na clavícula, perda de um olho e dos dentes da frente.

No início, as dores foram minimizadas com morfina. Mas, como não se pode tomar opiáceos todo o tempo, María Eugenia conformou-se bravamente em viver para sempre com sofrimentos e limitações físicas.

Nos primeiros tempos de internação de Jorge Lozano, da Cargill, os médicos temeram que ele fosse ficar hemiplégico, já que as pernas não obedeciam aos comandos do cérebro. Mas uma cirurgia, na qual foram implantadas varinhas de aço na coluna, e sessões de fisioterapia resultaram em sucesso e Lozano aos poucos foi se recuperando.

Só dois anos após a tragédia do voo 52 é que Jorge Lozano passou a ter vida completamente normal, inclusive voltando a jogar golfe, seu hobby predileto.

María Lucila Torres, que deixara o marido e os filhos em Medellín para passar algumas semanas com a irmã em Nova Jersey, teve ferimentos tão graves — pulmão, coluna vertebral, pernas — que precisou ficar seis meses internada no North Shore. Foi submetida a tantas cirurgias que até perdeu a conta.

A Lucila que retornou à Colômbia no segundo semestre de 1990 só se locomovia em cadeira de rodas. Tinha placas de metal em diversos pontos do corpo e precisava voltar a Nova York a cada seis meses para a lenta reconstituição do pé esquerdo, através do implante de fragmentos ósseos retirados da bacia, um de cada vez. Seus pulmões eram sustentados por um dispositivo metálico. Permanecer deitada se tornara uma tortura.

Foram necessários quase vinte anos para que María Lucila se recuperasse, restando apenas algumas sequelas no pé reconstituído e uma insônia que se tornou crônica. Embora continuasse a ir a Nova York para revisões médicas, entrar em um avião se tornou um verdadeiro suplício.

Assim que seus estados de saúde permitiram, José Figueroa e Antonio Zuluaga, os dois correios do tráfico que sobreviveram à queda do HK-2016, foram transferidos do Hospital Universitário North Shore e do Centro Médico do Condado de Nassau para um hospital prisional, onde se recuperaram totalmente.

Em 1991, ambos foram levados a julgamento, em separado, numa corte do distrito de Nassau. Os promotores os acusaram de posse de substância controlada, que é como a legislação do estado de Nova York define esse tipo de crime.

Figueroa declarou-se culpado e recebeu do juiz Donald Belfi sentença de sete anos a prisão perpétua, ficando o prazo definitivo a ser fixado posteriormente, durante o cumprimento da pena, pelo Conselho de Condicional. Zuluaga também assumiu sua culpa e recebeu pena de seis anos a perpétua.

Os dois correios do tráfico foram soltos após cumprir suas penas mínimas, sendo imediatamente deportados para a Colômbia.

35. Néstor Zárate

O advogado Néstor Zárate, colombiano residente nos Estados Unidos, escreveu um livro sobre a tragédia e suas consequências. Com o nome de *20 minutos antes... 20 años después*, a obra foi publicada em 2010.

Em seu texto, Zárate narra o voo desde a decolagem em Bogotá até os momentos que se seguiram à arremetida no aeroporto Kennedy, assim como o que se passou com ele após a queda em Cove Neck.

No Hospital Universitário North Shore, onde ficou internado até meados de março, Néstor Zárate foi submetido a incontáveis intervenções, tal a gravidade e a dispersão pelo corpo de suas lesões. No entra e sai do centro cirúrgico para o CTI e vice-versa, o advogado padeceu de dores atrozes.

Suas pernas, enfaixadas — os ossos quase esmigalhados e precariamente recompostos com placas e parafusos —, permaneciam suspensas em "Y" acima da cama, sustentadas por uma parafernália de cabos e roldanas. Deitado de costas, Zárate não tinha como se movimentar. Uma simples coceira se transformava numa tortura medieval. Qualquer tossida ou espirro provocava um espasmo de dor que se alastrava por todo o corpo.

Os dias de Néstor Zárate pareciam durar quarenta, cinquenta horas. Os momentos de sono e de descanso, propiciados pela morfina, não mais que alguns minutos. Além das pernas (o pé direito foi quase decepado), os médicos tinham de tratar de lesões graves, internas e externas, no tórax, na cabeça, nos braços.

Os órgãos vitais mais afetados foram os pulmões, perfurados pelas costelas, e os intestinos, garroteados pelo cinto de segurança da poltrona 21C, que Zárate ocupara no Boeing. O cinto esmagou também o baço, que teve de ser retirado.

Como sequela das inúmeras transfusões de sangue que recebeu, Néstor Zárate foi infectado pelo vírus da hepatite C.

Após ter recebido alta hospitalar e ser transferido para seu apartamento em Manhattan, Zárate continuou frequentando regularmente o North Shore, em Long Island, onde os médicos acompanharam sua recuperação. Foi também necessária uma breve internação, para ser submetido a mais uma cirurgia na perna direita. Complementando o tratamento, o advogado colombiano fazia incontáveis e sofridas sessões de fisioterapia.

Da cadeira de rodas, que usou durante um ano, Néstor Zárate, tal como conta em seu livro, evoluiu para um andador, de um andador para muletas e das muletas para uma bengala. Só em 1992 é que pôde caminhar pela primeira vez sem o auxílio de acessórios de locomoção.

Néstor Zárate passou também a visitar o escritório de uma firma de advocacia especializada em indenizações de vítimas de acidentes aéreos. Como a Avianca era uma companhia pequena, sem muitos recursos financeiros, não tinha como reparar de modo integral ou mesmo minimamente razoável o sofrimento dos passageiros do HK-2016, assim como indenizar com justeza as famílias dos mortos no desastre.

O ideal, para os que pretendiam reparações, era que o laudo do Conselho Nacional de Segurança nos Transportes (National Transportation Safety Board — NTSB), órgão do governo americano responsável pela investigação do desastre, atribuísse pelo menos parte da culpa aos controladores de voo (e, por consequência, ao governo dos Estados Unidos) que monitoraram o voo 52. Mas não foi isso que aconteceu.

O relatório do NTSB, publicado no dia 30 de abril de 1991, 460 dias após a tragédia em Cove Neck, culpou pelo desastre (sem citar nomes, como é de praxe) os três tripulantes de voo colombianos do Avianca 052. Para chegar a tal conclusão, os investigadores se valeram basicamente de detalhes linguísticos, constantes do procedimento aeronáutico-padrão, e sobretudo da ausência de uma palavra que os burocratas aéreos consideram chave: "Emergência".

36. Palavra mágica

Todos os acidentes de aviação ocorridos nos Estados Unidos são investigados pelo NTSB. Foi o que aconteceu por ocasião da queda do HK-2016.

O objetivo dos relatórios da agência não é apontar culpados (nunca citados nominalmente nos documentos), mas sim evitar que as circunstâncias do desastre se repitam. Porém, sempre que falhas humanas são envolvidas, é inevitável que as pessoas que leem os laudos identifiquem perfeitamente os responsáveis, mesmo porque, embora os nomes dos pilotos não apareçam nas conclusões, delas constam suas datas de nascimento, número de horas de voo e função a bordo.

Poucas horas após a queda do Avianca 052, e antes mesmo da retirada dos corpos das vítimas, equipes do NTSB, chefiadas pelo investigador Barry Trotter, já vasculhavam os destroços da fuselagem do Boeing, em busca de pistas que pudessem levar ao que acontecera.

Duas evidências saltavam aos olhos: os tanques de combustível estavam vazios; nenhuma das quatro turbinas girava na hora do choque, o que os profissionais experientes constataram com facilidade, pois não havia danos rotacionais. A combinação dos dois fatores indicava, sem margem para dúvidas, que ocorrera uma pane seca (esgotamento do combustível em pleno ar).

Foi fácil achar as duas caixas-pretas (por sinal, de cor alaranjada): o CVR (*cockpit voice recorder* — gravador de vozes da cabine de comando) e o FDR (*flight data recorder* — gravador dos parâmetros de voo), ambos na cauda do jato. Os dois componentes foram imediatamente enviados para os laboratórios do NTSB em Washington, onde os peritos descobririam que o FDR estava inoperante, seu rolo de gravação bloqueado com fitas adesivas. Mas o CVR se encontrava intacto e registrara os diálogos no cockpit nos últimos quarenta minutos do voo.

Tanques vazios, motores parados, gravação das conversas dos pilotos, recuperação das mensagens recebidas e enviadas pelos controladores de voo... Ao contrário de acidentes muito mais complexos, mesmo sem os dados do FDR a verdade sobre os acontecimentos do voo 52 seria uma questão de tempo. De pouco tempo.

Outro elemento importante não demorou a ser constatado na escuta do CVR. Todas as comunicações em inglês do Avianca para os controladores americanos tinham sido feitas pelo copiloto (Mauricio Klotz). O comandante (Laureano Caviedes) só conversara com Klotz e com o engenheiro de voo (Matías Moyano) em espanhol, entremeando alguns termos em inglês, próprios da aviação, como, por exemplo, "*glide slope*" (rampa de descida) ou "*windshear*" (tesoura de vento).

Ficou claro que Caviedes não entendia bem o que Klotz falava para os controladores e muito menos o que os controladores — com seu linguajar ligeiro, atropelando e cortando as palavras, economizando sílabas — diziam para o copiloto.

Outra dedução, à qual se chegou com facilidade, foi que tesouras de vento descendentes de grande intensidade, com as quais os pilotos colombianos tiveram extrema dificuldade de lidar, deterioraram a aproximação do voo 52 para a pista 22L do aeroporto Kennedy. Na altitude mínima, atingida prematuramente, e na qual eles precisavam enxergar as luzes da pista, isso não aconteceu, por estarem ainda muito longe da cabeceira. Isso os forçou a realizar uma arremetida, queimando preciosas libras do já escasso combustível remanescente.

O laudo final do NTSB, publicado em 30 de abril de 1991, foi assinado pelo chairman da comissão investigadora, James J. Kolstald, por sua vice, Susan Coughlin, e pelos outros três integrantes da equipe de investigação, Jim Burnett, John K. Lauber e Christopher A. Hart.

A conclusão do colegiado foi que o desastre se deveu primordialmente (a palavra "culpa" nunca é usada nesses relatórios) ao fato de os tripulantes de voo do Avianca 052 não terem declarado uma emergência de combustível usando os nomes apropriados: *"Emergency"*, *"Mayday"* (de preferência os repetindo duas ou três vezes) ou *"Pan-Pan"* (termo que indica urgência, usado na aviação). Se o tivessem feito, segundo a comissão, teriam sido direcionados sem demora ao JFK, obtendo prioridade na aproximação, com tempo suficiente para mais de uma tentativa de pouso ou, opcionalmente, uma proa direta para o aeroporto alternativo, Boston, sem os padrões de espera em CAMRN, Boton e Norfolk, que roubaram uma hora e dezessete minutos do voo.

No documento final, houve uma leve censura aos controladores por não terem percebido a situação crítica do Avianca. Christopher Hart, um dos integrantes da comissão investigadora, não concordou com essa breve alusão. Hart fez questão de dar seu voto em separado, responsabilizando apenas os pilotos colombianos pela tragédia e absolvendo totalmente os operadores de terra.

Já outro membro, Jim Burnett, insistiu em partilhar a responsabilidade entre os pilotos do Boeing e os controladores americanos.

"Embora eu concorde com a causa principal e com as recomendações adotadas, voto contra a adoção deste relatório porque ele não consegue lidar adequadamente com o papel dos serviços de controle de tráfego aéreo (ATC) no cenário do acidente", declarou Burnett, também em separado.

A divergência isolada de Jim Burnett não alterou o fato de que, oficialmente, o NTSB considerava que o Avianca teria recebido prioridade total para pouso no Kennedy se um dos pilotos do Boeing tivesse dito pelo menos uma frase do tipo "nós estamos declarando uma emergência".

"Emergência", ou uma de suas similares no burocratês aeronáutico, era portanto a palavra mágica que faltara no voo 52. A ausência dela, segundo o NTSB, derrubara o Boeing da Avianca, matara 73 pessoas e deixara outras 81 gravemente feridas, algumas com lesões irreversíveis.

"[O] primeiro-oficial [Mauricio Klotz] nunca usou a palavra 'Emergência' em seus diálogos com os controladores", ressaltou o laudo. Portanto, "não usou a fraseologia apropriada publicada nas publicações [sic] aeronáuticas dos Estados Unidos para comunicar ao controle de tráfego aéreo o estado crítico de combustível".

Na verdade, o comandante Laureano Caviedes repetiu diversas vezes "emergência". Só que o fez em espanhol e falando com o copiloto Mauricio Klotz, que não reproduziu o termo ao se comunicar com os controladores. Isso aconteceu nos onze minutos finais do voo 52, que se passaram entre o momento da arremetida no aeroporto Kennedy e a queda em Cove Neck.

37. O que aconteceu naquela noite

Quinta-feira, 25 de janeiro de 1990. Às 21h23min20, horário da Costa Leste norte-americana, o comandante Laureano Caviedes, do Avianca 052, que voava a apenas duzentos pés de altura, perguntou, em espanhol, ao copiloto Mauricio Klotz e ao engenheiro de voo Matías Moyano:

"Onde está a pista?" E concluiu, angustiado: "Eu não a vejo, eu não a vejo".

"Não a vejo, não a vejo", Klotz e Moyano disseram as mesmas palavras.

Por certo não tinham como enxergar a pista, porque o AVA052 — que ficara bem abaixo da rampa ideal de aproximação por causa das tesouras de vento — se encontrava a quatro quilômetros da cabeceira 22L do JFK, com praticamente nenhuma visibilidade devido à noite chuvosa e enevoada.

Caviedes fez a única coisa que poderia fazer, apesar do pouquíssimo combustível restante nos tanques do 707:

"Suba o trem de pouso. Peça um novo padrão de tráfego", ordenou a Klotz, enquanto acelerava os quatro motores do HK-2016, dando início ao procedimento de arremetida.

Passados dez segundos, Laureano Caviedes pensou em voz

alta: "Nós não temos combustível", pensamento esse que ficou registrado na fita do gravador de vozes do cockpit (CVR).

O GPWS ainda "não entendera" o que estava acontecendo, pois sua voz metálica, desprovida de emoção, se limitava a repetir: "*Whoop, whoop, pull up* [arremeta], *glide slope*".

Com dez, talvez doze, minutos restantes de autonomia de voo, o Avianca 052 precisava obter dos controladores de terra autorização para proceder a uma nova aproximação (*approach pattern*) e retornar à reta final, de preferência encurtando ao máximo o procedimento e, principalmente, passando à frente dos demais voos que se aproximavam para pousar na 22L.

Oito segundos após dar início à arremetida, o comandante Caviedes gritou para o copiloto Klotz:

"Avise a eles [controladores] que estamos em uma emergência!"

Klotz não só deveria ter transmitido aos quatro ventos a palavra mágica, "*emergency*", ou "*fuel emergency*" (emergência de combustível), como ter explicado que o AVA052 precisava estar na pista nos próximos dez minutos. Isso teria adiado imediatamente todas as demais aproximações, assim como as decolagens, a fim de que fosse dada prioridade total ao Avianca e, ao mesmo tempo, as equipes de socorro do aeroporto internacional John F. Kennedy fossem acionadas.

Havia a ameaça mais do que real de que uma tragédia aérea estava prestes a ocorrer. Um jato comercial, lotado de passageiros, poderia cair na cidade de Nova York ou em seus arredores, uma das regiões mais densamente povoadas do mundo.

Um piloto americano simplesmente chamaria a torre do Kennedy e diria:

"Escuta, cara. Eu tenho de pousar imediatamente!"

Se fosse um aviador de sangue quente, e muito tarimbado no diálogo com os controladores, poderia até dizer:

"Aqui é o Avianca 052. Se você não me liberar a porra da pista [*the fucking runway*] agora, vai haver uma tragédia em Nova York por sua culpa."

Nada disso ocorreu ao copiloto Mauricio Klotz. Não só ele não disse a palavra "emergência", tal como exigia seu comandante, como continuou abordando os órgãos de controle de terra como se o problema fosse de pequenas proporções. Algo como uma das quatro turbinas com temperatura acima do normal e que pudesse ser cortada a qualquer momento, deixando o Boeing com as outras três, numa operação "quase" normal.

Às 21h23min34, o copiloto Klotz limitou-se a informar à torre: "Executando uma aproximação perdida. Mantendo dois mil pés. Avianca zero cinco dois."

Como Klotz agiu com naturalidade, o controlador da torre do JFK não viu motivos para não fazer o mesmo. Limitou-se a dar instruções de rotina:

"Avianca zero cinco dois *heavy*, *roger*, ah... suba e mantenha dois mil [pés], curve à esquerda para proa uno oito zero."

Se pensou em contestar, Mauricio Klotz não deu a menor demonstração disso. Limitou-se a repetir as instruções:

"Subir e manter um... ah... dois mil, uno oito zero na proa."

Temendo que num ângulo de subida muito acentuado os tanques quase vazios do 707 enviassem bolhas de ar para os motores, o engenheiro de voo relembrou ao comandante o que já tinha dito ao ler a checklist de emergência:

"Devagar com o nariz, devagar com o nariz."

Seguiram-se dezessete segundos sem nenhuma conversa no cockpit, nos quais só se ouvia o ranger das engrenagens dos estabilizadores e o sibilo das turbinas. Coube ao comandante Caviedes romper o silêncio. Em vez de discutir os próximos procedimentos, ele preferiu comentar a aproximação interrompida:

"Não sei o que aconteceu com a pista."

"Eu não a vi", disse Klotz. "Eu não a vi", repetiu.

Subitamente o copiloto despertou para a realidade. Voltou a chamar a torre do JFK.

"Estamos ficando sem combustível", informou, quase como se pedisse desculpas pela situação, e uma vez mais sem dizer a palavra-chave: "emergência".

O AVA052 atingiu a altitude de 2 mil pés solicitada pela torre.

"Dois mil pés", confirmou o engenheiro de voo, para logo em seguida acrescentar: "Flaps vinte e cinco". Os tripulantes do Avianca agiam como se estivessem num treinamento de simulador.

"Flaps vinte e cinco, não sei o que aconteceu com a pista. Eu simplesmente não a vi", remoeu Laureano Caviedes.

"Eu não a vi", voltou a dizer Klotz.

"Eu não a vi", concordou Moyano.

Às 21h24min04, o controlador da torre do JFK quis saber mais a respeito da posição do Avianca e chamou o Centro de Controle de Tráfego Aéreo da área de Nova York:

"O Avianca zero cinco dois está fazendo uma curva para a esquerda. Certo?"

"Sim", confirmou o Centro.

No cockpit do HK-2016, Caviedes voltou a se preocupar com o uso dos termos corretos, previstos nos regulamentos.

"Avise a eles", o comandante insistiu com o copiloto, "que temos uma emergência."

Klotz falou com a torre, mas não usou as palavras apropriadas.

"Estamos ficando sem combustível", disse o copiloto. Naquele instante, o Boeing subia e se afastava do Kennedy. Eram 21h24min08.

Caviedes prestou atenção nas palavras de Klotz e ficou furioso.

"Diga-lhes que estamos numa emergência", ele berrou no ouvido do copiloto.

"Nós estamos ficando sem combustível", reportou Klotz para o controlador, com tom de voz monocórdio e mais uma vez não recorrendo à palavra mágica.

A torre do Kennedy limitou-se a acusar o recebimento da informação: "*Okay*".

E tudo ficou por isso mesmo. O Avianca 052 já arremetera havia 52 preciosos segundos e nenhuma providência fora tomada para direcioná-lo imediatamente para a pista 22L. Os tanques de combustível do Boeing 707 tinham pouco menos de nove minutos de voo. Talvez ainda desse para pousar. Só que o AVA052 continuava se afastando do JFK.

Caviedes gritou de novo com Klotz:

"Avise a ele que estamos numa emergência!"

Quatro segundos mais tarde, o comandante, que pouco ouvia do que seu copiloto dizia (num microfone preso na ponta de uma haste curva junto à boca) para a torre, voltou a perguntar:

"Você avisou a ele [controlador] que estamos numa emergência?"

"Sim, senhor. Eu já avisei", mentiu Klotz, nunca se saberá por quê.

A torre do Kennedy continuava tratando o Avianca 052 como uma aeronave normal que tivesse arremetido por causa das tesouras de vento, coisa que acontecera numa em cada quatro tentativas de pouso naquele dia.

"Avianca zero cinco dois *heavy*, prossiga na curva para a esquerda e mantenha dois mil [pés]."

"Mantendo dois mil. Avianca zero cinco dois *heavy*." Mauricio Klotz parecia confiar tanto na capacidade dos controladores de Nova York de levar o 52 até a pista que perdera sua capacidade de raciocínio. O atalho para a 22L já ficara para trás.

"Avianca zero cinco dois *heavy*, contate o controle de aproximação na frequência uno uno oito ponto quatro", instruiu a torre do JFK. Eram 21h24min39. O Kennedy punha o voo 52 num procedimento-padrão pós-arremetida e, talvez por esquecimento, talvez por excesso de carga de trabalho, não avisara ao Tracon de Nova York que o Avianca estava ficando sem combustível.

Mauricio Klotz chamou o Tracon:

"Nós acabamos de perder uma aproximação e estamos mantendo dois mil pés." Naquele momento, o Avianca voava num rumo perpendicular ao eixo da pista 22, da qual ia se distanciando.

"Avianca zero cinco dois *heavy*", respondeu o controlador. "Boa noite, suba e mantenha três mil [pés]."

Às 21h25min08, Caviedes voltou a esbravejar com Klotz:

"Diga que estamos sem combustível."

Falando à torre, o copiloto deixou a parte do problema do combustível para o final da frase, e mesmo assim de modo indeciso:

"Subindo e mantendo três mil e, ah... estamos ficando sem combustível, senhor." Era a enésima vez que dizia isso.

"O.k.", respondeu o controlador, "voe rumo zero oito zero."

Por mais absurdo que possa parecer, Klotz acatou a orientação:

"Voando rumo zero oito zero subindo para três mil", foram suas palavras exatas.

Como se não bastassem os contrassensos, o controlador do Tracon fez o Avianca voar um longo percurso para reiniciar uma rota de descida.

Às 21h25min28, Caviedes voltou a indagar do copiloto:

"Você já avisou que estamos sem combustível?"

Embora os tripulantes do cockpit do AVA052 ainda não se dessem conta disso, naquele instante, e naquela posição no espaço aéreo, o Boeing já não teria mais condições de pousar no JFK. Os tanques secariam antes. O máximo que conseguiriam fazer para amenizar a tragédia que se anunciava seria uma amerissagem, mais do que arriscada, nas águas geladas da baía de Jamaica, em meio ao nevoeiro. Mas Klotz continuava acreditando que os controladores americanos os poriam no chão antes de o combustível se esgotar. Tanto que às 21h25min29 ele disse para Caviedes:

"Ele [o controlador] nos trará de volta [à cabeceira 22L]."

O voo Avianca 052 se tornara uma peça de ficção. Roteiro de filme de suspense, com todos os seus exageros. Seus pilotos ainda não tinham se dado conta da tragédia inevitável. Por outro lado, o Tracon NY continuava dando instruções pontuais ao HK-2016.

Às 21h26min27, o controlador determinou:

"Avianca zero cinco dois *heavy*, vire à esquerda, rumo zero sete zero."

"Rumando zero sete zero", respondeu Mauricio Klotz, sem deixar de concluir sua frase com o protocolar "Avianca zero cinco dois *heavy*".

Oito segundos mais tarde aconteceu mais um diálogo de surdos:

"Avianca zero cinco dois *heavy*", disse o controlador, num tom de voz ríspido, "eu vou levar vocês para aproximadamente quinze milhas a nordeste e então trazê-los de volta para a aproximação. Isso está bem para vocês e para o seu combustível?"

"Creio que sim. Muito obrigado", respondeu Mauricio Klotz.

"O que é que ele [o controlador] disse?", perguntou o comandante.

"O cara está zangado."

Durante alguns minutos Caviedes, Klotz e Moyano discutiram detalhes da nova aproximação para pouso (impossível àquela altura dos acontecimentos). Porém, às 21h27min36, o comandante

mencionou a possibilidade de que não chegariam a lugar algum. Devido ao ruído das engrenagens dos estabilizadores se movendo, a gravação do CVR ficou quase inaudível, com exceção das duas últimas palavras de Caviedes, logo após o copiloto ter mencionado: "Devemos seguir o localizador, frequência já identificada".
"... para morrer [*a morir*]."

A encenação do pouso de mentirinha continuou. Um minuto e 35 segundos após o comandante ter falado sobre morte, o copiloto Mauricio Klotz perguntou ao controlador do Tracon:
"Você pode nos dar uma final agora?"
"Afirmativo, senhor", respondeu prontamente o operador de terra. "Vire à esquerda rumo zero quatro zero."
"Zero quatro zero", repassou Klotz para Caviedes.
"Zero quatro zero", confirmou o comandante.
O Avianca 052 passou a voar para nordeste, paralelo à pista, num procedimento corriqueiro de tráfego, como se tivesse combustível para chegar até lá, pousar e taxiar tranquilamente para o pátio de estacionamento junto ao terminal.
Para sincronizar o posicionamento de todos os aviões que se dirigiam para pouso na pista 22L, o controlador do Tracon decidiu alterar a rota de aproximação do AVA052.
"Avianca zero cinco dois", instruiu ele, "suba para três mil pés."
Dessa vez, Mauricio Klotz contestou:
"Negativo, senhor, nós já estamos a três mil pés e sem combustível."
"O.k.", respondeu o controlador, não parecendo preocupado. "Então vire à esquerda rumo três uno zero."
"Três uno zero, Avianca zero cinco dois", concordou o copiloto Klotz.

* * *

Talvez tenha sido o fato de que vinham pilotando havia quase seis horas e meia com problemas no piloto automático, talvez tenham sido as três interrupções (ORF, Boton e CAMRN), talvez as *windshears*, talvez a arremetida no JFK, talvez o inglês deficiente do comandante, talvez a timidez do copiloto, talvez a alta carga de trabalho adicionada à pressão psicológica da própria situação de emergência ou, mais provavelmente, o conjunto de tudo isso, o certo é que Laureano Caviedes, Mauricio Klotz e Matías Moyano, àquela altura, tinham seus raciocínios totalmente confusos e embotados.

Estavam submetidos a uma situação conhecida no mundo aeronáutico como visão de túnel, ou seja, os pilotos não possuíam mais uma "consciência situacional" do que acontecia ao seu redor. Só percebiam o que estava estritamente numa linha reta com sua linha de visão, como a leitura de alguns instrumentos de voo, e nada mais.

Nem ao menos avisaram aos comissários de bordo e aos passageiros que se preparassem para um pouso forçado.

"Ponha os flaps em catorze", disse Caviedes a Klotz às 21h30min50.

O copiloto obedeceu maquinalmente.

"Avianca cinquenta e dois, voe na proa três meia zero, por favor", pediu o centro de controle de voo.

"Que proa ele pediu?", Caviedes perguntou a Klotz.

"Três meia zero", respondeu Klotz.

"Três meia zero", repetiu Matías Moyano.

O Boeing 707 seguiu rumo norte (360 graus), sem combustível para chegar em nenhum aeroporto da área de Nova York.

Para o Tracon, tudo aquilo parecia um procedimento de rotina para levar o voo 52 de volta ao JFK. Tanto foi assim que o controlador informou ao Avianca:

"O.k., vocês são o número dois para aproximação. Eu só tenho de arrumar espaço suficiente de modo que você não tenha de arremeter de novo."

A torre do Kennedy entrou no circuito.

"Vento dois zero zero a uno oito."

Pouco depois o AVA052 foi instruído para alterar ligeiramente a proa para 330 graus.

"Três três zero", acusou Klotz.

Era o teatro dos absurdos.

Então o que tinha de acontecer aconteceu:

"*Flame out* no número quatro", gritou o engenheiro de voo Matías Moyano. *Flame out* (algo como "chama apagada") é como os pilotos em todo o mundo se referem à parada de uma turbina.

Naquele exato momento o Avianca 052 estava no ponto mais afastado do aeroporto internacional John Fitzgerald Kennedy desde que arremetera nove minutos antes. Só mesmo se tivesse executado a nova aproximação final, encurtada, e logo no início, é que teriam tido chances de pousar na 22L.

"*Flame out* no número três", anunciou Moyano.

Apesar de todos os seus erros naquela noite, o copiloto continuava a ser um aviador treinado e tratou de avisar aos controladores de terra:

"Avianca zero cinco dois, nós acabamos de perder dois motores e precisamos de prioridade, por favor."

"*Flame out*", o comandante Caviedes disse tristemente, sem que sua voz demonstrasse algum pânico. Apenas amargura.

Eles ainda tinham os motores 1 e 2 funcionando, mas o *flame out* também nesses dois era questão de segundos, no máximo meio minuto.

"Me mostre a pista", surpreendentemente Caviedes pediu a Klotz. O AVA052 encontrava-se a mais de 25 quilômetros de distância do Kennedy.

Nas duas cabines de passageiros (primeira classe e econômica), todos os ocupantes já tinham percebido a diminuição de ruído. Uns perguntavam aos outros o que estava acontecendo. Os comissários e comissárias eram assediados com uma saraivada de perguntas.
"Por que não nos dizem nada?" "Nós vamos cair?" "Nós estamos pousando?" Só que os comissários sabiam tanto quanto os passageiros.
O advogado Néstor Zárate viu quando diversas pessoas se levantaram e foram em direção à cabine de comando. Como a porta estava trancada, do lado de fora eles exigiam explicações aos pilotos.
Quando os motores 1 e 2 por fim se apagaram, as luzes se extinguiram também. Em meio à escuridão, e com as quatro turbinas paradas, dava para se ouvir o barulho do vento deslizando pelas asas e pela fuselagem. Maldições se alternavam com rezas, choros e gritos.
No cockpit, Caviedes continuava cobrando de Klotz.
"Me mostre a pista!"

No centro de controle de voo, os diálogos do teatrinho faz de conta continuavam.
"Avianca zero cinco dois *heavy*", disse um controlador, "você está a cinco milhas do marcador externo. Mantenha dois mil até chegar ao localizador. Autorizado para o ILS da dois dois da

esquerda", o operador falou isso para um jato com as quatro turbinas desligadas, pilotado por homens que já não raciocinavam e não ouviam mais nada.

Laureano Caviedes se apoiou naquele galhinho de árvore à beira do precipício.

"Selecione o ILS [frequência] e vejamos o que acontece", disse ele para Mauricio Klotz. Era como que implorar por um milagre.

"Está [selecionado] no [painel] número dois", respondeu o copiloto. Foram as últimas palavras gravadas no CVR, que parou de funcionar por falta de alimentação elétrica.

O centro de controle de tráfego aéreo continuou falando, sem saber que o Avianca não o escutava mais:

"Vocês têm combustível suficiente para chegar ao aeroporto?"

Eram 21h33min24. Nesse exato momento o AVA052 se precipitava em direção ao litoral de Long Island.

Na cabine de primeira classe, Jorge Lozano percebeu claramente que o jato, com as turbinas desligadas, estava caindo. A única coisa que lhe ocorreu foi dobrar seu sobretudo e colocá-lo sobre os joelhos. Inclinou o tronco para a frente em posição fetal.

Mais atrás, um dos comissários de bordo, passando pelo corredor da classe econômica, viu uma passageira tentando proteger a filhinha. Era Luz Elena Vázquez, que não sabia o que fazer com Jessica, a *caremico*, de dois anos e meio.

"Afivele-se bem, pegue sua filha e a abrace", disse o comissário.

Luz Elena agarrou-se a Jessica com tanta força que a garotinha se assustou.

Outra Jessica, a de oito anos, também estava sendo espremida pela mãe, Aída Gutiérrez.

"Pra que isso, mamãe?"

"Nada, meu bebê. Fique tranquila."

Na poltrona 21C, o advogado Néstor Zárate se assustava com o barulho sinistro do vento. Pediu licença à senhora a seu lado — aquela que não quisera conversa no início do voo — para lhe dar a mão. Ela concordou. Talvez, tal como ele, tivesse medo de morrer sozinha.

Mesmo sem a potência das turbinas, um Boeing 707 pode ser pilotado como se fosse um planador. Evidentemente que descendo o tempo todo, mas não deixando a velocidade cair abaixo do ponto de estol (cerca de 185 km/h), hipótese em que a aeronave perde sustentação e cai de nariz. Só que o planeio sem motor e sem força hidráulica não é uma tarefa simples. Exige força física dos pilotos.

Com os motores parados, o comandante e o copiloto tinham de levar o Boeing no muque, movendo as superfícies móveis (ailerons, profundores e lemes de direção) através dos cabos que as ligavam aos manches e pedais no cockpit. Atrás deles, o engenheiro de voo "cantava" a todo momento a velocidade, de modo a ajudar seus colegas a evitar o estol.

Como, em meio à chuva e ao nevoeiro, Caviedes e Klotz não enxergavam nada à frente do para-brisa, eles se limitavam a manter o 707 nessa velocidade mínima até o jato atingir o chão, ou o mar.

Nesses casos, é quase um milagre não morrer todo mundo. Mas foi o que aconteceu no AVA052. O cuidado de Laureano Caviedes, Mauricio Klotz e Matías Moyano em minimizar a queda salvou a vida de 85 pessoas, embora não a deles, pilotos.

* * *

Às 21h34, o controlador de tráfego que monitorava o AVA052 repetiu sua pergunta:

"Você tem combustível suficiente para chegar ao aeroporto?"

Nenhuma resposta. Naquele instante o Avianca 052 estava colidindo com a colina em Cove Neck.

Para os controladores, a tragédia só se materializou quando um deles informou pelo rádio:

"Perdemos contato radar com o Avianca zero cinco dois."

38. Vamos supor...

No dia 25 de fevereiro de 1990, exatamente um mês após o desastre do AVA052 em Cove Neck, uma carreata de quase mil automóveis, a grande maioria conduzindo colombianos — parentes, amigos e conhecidos dos mortos e dos feridos —, se dirigiu ao aeroporto Kennedy em protesto contra as autoridades aeronáuticas americanas. Já havia o temor de que o NTSB responsabilizasse apenas os pilotos pela queda do Boeing, isentando os controladores de tráfego aéreo, o que acabou acontecendo.

A Avianca assumiu as despesas médico-hospitalares das vítimas, mas todos sabiam que a empresa não possuía musculatura financeira para pagar indenizações condizentes com a dimensão da catástrofe. Para piorar, o Lloyd's of London, conglomerado segurador no qual a companhia colombiana tinha uma apólice que cobria danos a terceiros, atravessava uma grave crise, havendo inclusive a possibilidade de sua falência.

Segundo as normas da Convenção de Varsóvia, de 1929 — que continuavam regendo o transporte aéreo internacional em 1990, mesmo transcorridos 61 anos da assinatura do tratado —, uma morte ou lesão corporal grave valia 75 mil dólares. Era exatamente esse valor, sem nenhuma reposição inflacionária, que a Avianca propôs, em julho de 1990, pagar de indenização a cada sobrevivente ferido, assim como às famílias dos passageiros mortos na queda do HK-2016.

Como a empresa não exigia que os parentes e as vítimas abdicassem de outros processos para receber os 75 mil, muitos aceitaram. Outros tiveram receio de que isso pudesse prejudicar uma ação de reparação de danos contra a Administração Federal de Aviação, FAA, sob o argumento de que grande parte da culpa do desastre devia ser atribuída aos controladores de voo. Mas a maioria preferiu acionar ao mesmo tempo a Avianca, exigindo um valor maior que os 75 mil, e o governo americano.

O processo das famílias e das vítimas tramitou na Corte Federal Distrital dos Estados Unidos, situada no bairro do Brooklyn, em Nova York, presidida pelo juiz Thomas C. Platt, um magistrado nova-iorquino de 66 anos, de forte personalidade e enorme experiência. As audiências começaram em novembro de 1992, dois anos e dez meses após o desastre.

A tese dos advogados contra a FAA foi que os controladores sabiam que o combustível do voo 52 estava se esgotando e, mesmo assim, puseram a aeronave em padrão de espera por três vezes, sem lhe dar prioridade, e não a posicionando à frente das outras.

Com base no relatório do NTSB, e em diversos casos anteriores, o advogado do governo de Washington, James Wilson, estava convicto de que o juiz Platt daria ganho de causa à FAA, absolvendo os controladores e livrando o Tesouro de qualquer responsabilidade financeira pelo desastre. Mas não foi isso o que aconteceu.

Antes do início das audiências preliminares na corte, os advogados das vítimas haviam decidido pedir uma indenização total de 500 milhões de dólares, a serem divididos entre sobreviventes e parentes dos mortos.

Como a Avianca não tinha condições de pagar meio bilhão, seus advogados tentaram, com sucesso, se alinhar com os representantes das vítimas na representação contra a FAA. O objetivo das duas partes passou a ser dividir a responsabilidade pelos erros que levaram à tragédia entre a companhia aérea colombiana e a FAA.

Parte das evidências contra os controladores foi a reprodução, no tribunal, dos diálogos travados entre o AVA052 e os centros de auxílio ao voo. Ficou provado que, durante mais de uma hora, o copiloto Mauricio Klotz informara nove vezes pelo rádio sobre sua situação crítica de combustível, mesmo sem usar as palavras previstas nos regulamentos aéreos: "*Emergency*", "*Mayday*" ou "*Pan-Pan*".

O que determinou o desfecho do caso foi o interrogatório, feito pelo juiz Pratt, de três controladores responsáveis pelo voo 52. Quando um dos profissionais ouvidos pela corte alegou a ausência de uma declaração formal de emergência de combustível por parte dos pilotos Caviedes, Klotz e Moyano, Pratt decidiu fazer uso de uma heterodoxia processual que ficaria celebrizada nos anais judiciários americanos e internacionais.

"Vamos supor", disse o juiz ao controlador, "que nós não estejamos num tribunal e que você não esteja depondo sob juramento."

Os advogados do governo se entreolharam, preocupados.

"Vamos supor", prosseguiu Pratt, "que eu não seja um juiz federal."

Nem o representante da FAA nem o controlador que depunha entendiam aonde Thomas Platt queria chegar. O juiz prosseguiu com seu teatrinho.

"Suponhamos agora que nós sejamos apenas dois meninos brincando de aviação. Se eu dissesse que meu combustível estaria se esgotando, você entenderia?"

Bastaram essas palavras do magistrado para que os advogados do governo americano percebessem que o juiz Platt iria corresponsabilizar a Administração Federal de Aviação pela tragédia. Eles então pediram que fosse decretado um recesso de três dias no julgamento para que as partes (vítimas, Avianca e FAA) pudessem tentar um acordo e apresentá-lo ao tribunal.

O juiz Thomas C. Platt concordou com o pedido, não sem antes dar mais um susto nos advogados de Washington:

"Eu estou sempre voando do e para o Kennedy. Mas acho que vou mudar de aeroporto."

Durante o recesso, as três partes chegaram a um acordo: 200 milhões de dólares de indenização às vítimas, sendo 60% (120 milhões) a serem pagos pela Avianca e os restantes 80 milhões pelos cofres do Tesouro.

O juiz Platt limitou-se a referendar o combinado entre as partes e não houve julgamento. Restou aos sobreviventes e parentes dos mortos discutir a divisão da indenização entre as famílias, processo dos mais complexos, no qual os últimos casos só foram encerrados em 1995.

Epílogo

A queda do Avianca 052 em Cove Neck é um exemplo de como as coisas não devem ser feitas durante o planejamento, a execução e o acompanhamento de um voo. É inconcebível que um avião, ainda mais um jato comercial lotado de passageiros, caia por falta de combustível, principalmente nas circunstâncias em que o desastre ocorreu na noite de 25 de janeiro de 1990.

Em seu livro *Fora de série: Outliers*, publicado em 2008, o autor Malcolm Gladwell cita o inglês precário do comandante Laureano Caviedes e a timidez do copiloto Mauricio Klotz como fatores relevantes para a falta de entrosamento nas comunicações entre os pilotos do Avianca e os controladores da Costa Leste.

Segundo Suren Ratwatte, especialista em fatores humanos citado em *Outliers*, "nenhum piloto americano concordaria em ser posto em padrão de espera tantas vezes, por mais de uma hora, estando com pouco combustível nos tanques".

O mais grave acidente de aviação de todos os tempos também foi causado por deficiência de comunicação entre controladores de voo e pilotos. Duas aeronaves Boeing 747 (jumbos), uma da

KLM (Companhia Real Holandesa de Aviação) e outra da Pan American, se chocaram na pista do aeroporto Los Rodeos, em Tenerife, uma ilha do arquipélago espanhol das Canárias.

Em meio a forte nevoeiro, o comandante Jacob Veldhuyzen van Zanten entendeu uma frase do controlador da torre local, "*Stand by for takeoff. I will call you* [Aguarde para decolar. Eu o chamarei]", como uma autorização de decolagem, à qual deu início imediatamente. Só que, na mesma pista, vindo em direção contrária, o Pan Am, comandado pelo americano Victor Grubbs, taxiava, num procedimento conhecido em aviação como *back--track*, para livrar a pista ativa e tomar uma interseção à esquerda.

Quando os dois jumbos se viram frente a frente, já era tarde. A colisão deixou 583 mortos.

No episódio do Avianca 052, detalhes técnicos, como falhas na comunicação entre profissionais, não interessaram muito aos sobreviventes e aos parentes dos mortos. Cada um deles teve de lidar com seu sofrimento físico, moral e, na maioria dos casos, com ambos.

Entre os sobreviventes, quase todos com lesões graves, muitos passaram anos em cadeiras de roda. Poucos puderam voltar a trabalhar. Nenhuma empresa de seguro de saúde quis lhes vender uma apólice de plano médico-hospitalar. Decorridos mais de 25 anos da tragédia em Cove Neck, vários passageiros ainda convivem com dores crônicas. Outros sentem dores na alma, como a americana Margie Law, que perdeu seu noivo, Miguel.

Quando o desastre do AVA052 completou seu vigésimo aniversário, alguns sobreviventes e parentes dos mortos se reuniram

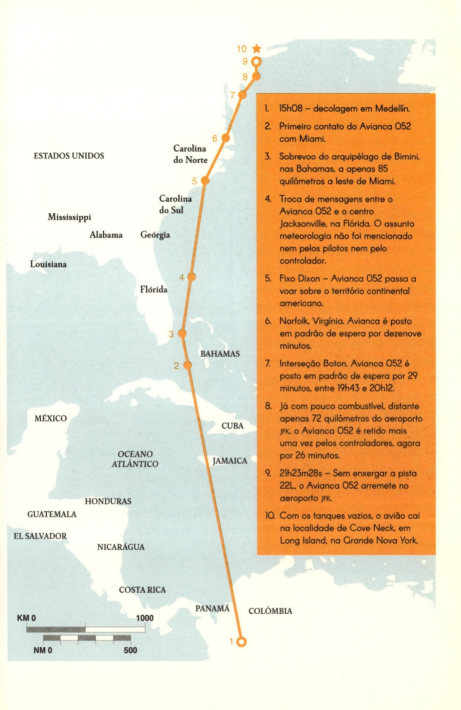

Com exceção de uma rachadura no meio e da perda da cabine de comando, a estrutura do Avianca 052 ficou quase intacta na encosta em Cove Neck.

Uma das partes mais danificadas do Boeing 707.

Poltronas da primeira classe, pouco deformadas.

Socorro aos feridos no local da queda.

As vítimas em estado mais grave foram transportadas em helicópteros para os hospitais de Long Island.

Necrotério improvisado na cena do desastre.

com integrantes das equipes de socorro e com os médicos que os atenderam nos hospitais. O encontro aconteceu numa igreja católica de Oyster Bay, Long Island.

Após tantos anos, foi possível pôr a tristeza de lado. Jessica Vásquez, a garotinha "cara de mico", agora casada e com 22 anos, pôde rever o paramédico Ralph Longo, que a resgatou dos destroços do Boeing.

Margie Law também apareceu por lá, assim como o advogado Néstor Zárate, cujo livro se tornou uma das referências sobre a tragédia. Margie e Zárate ainda tinham sequelas físicas do acidente. Tanto para ela como para ele, a vida se dividira entre antes e depois do desastre.

O descaso pela obtenção de informações foi um fator relevante no desfecho do voo Avianca 052. Se o comandante Laureano Caviedes, o copiloto Mauricio Klotz ou o engenheiro de voo Matías Moyano tivessem indagado a respeito das condições meteorológicas em Nova York no dia 25 de janeiro de 1990, poderiam ter alternado para outro aeroporto antes de iniciar a descida em direção ao JFK, ainda com bastante reserva de combustível, ou mesmo feito um pouso técnico para reabastecimento em Miami ou em algum aeroporto no Caribe. Se tivessem protestado contra as seguidas retenções, este livro não teria sido escrito.

Diálogo constante entre os dois autores, e discussão sobre os dados narrados, tornou-se a essência da elaboração de *Voo cego*. Durante quase dois anos um escreveu e o outro corrigiu, e vice-versa. Curiosamente, enquanto Ivan Sant'Anna permanecia em casa, pesquisando, escrevendo e revisando, o outro, Luciano Mangoni, pesquisava, escrevia e revisava em Istambul, Porto Alegre, Nova York, Los Angeles, San Francisco, Seul, Lisboa, Pequim, Toronto, Manila etc., no intervalo de suas viagens no comando de Boeings 777 da Turkish Airlines.

Narrar a história do voo Avianca 052 significou embarcar em Bogotá no HK-2016, fazer escala em Medellín, voar até Nova York, arremeter no JFK e cair em Cove Neck. O texto que aqui se encerra é o resultado desse trabalho conjunto de imersão num episódio que jamais deveria ter ocorrido.

Na noite de 28 para 29 de novembro de 2016, poucos dias antes deste livro seguir para a gráfica, um voo fretado da companhia aérea venezuelana LaMia, baseada na Bolívia, levava a delegação da Chapecoense — equipe de futebol de Chapecó, Santa Catarina —, da cidade boliviana de Santa Cruz de la Sierra, para Medellín, na Colômbia. A Chapecoense iria disputar a partida de ida da final da Copa Sul-Americana contra o Atlético Nacional, de Medellín.

A duração estimada do voo (LaMia 2933) era de 4h15 e a aeronave, um Avro RJ85 de quatro motores, fabricado na Grã-Bretanha, tinha autonomia de 4h30. Com margem tão estreita de segurança, que contraria todos os manuais e regulamentos aeronáuticos, seria preciso que tudo desse certo naquele voo, cujo piloto, Miguel Quiroga, era também sócio da empresa aérea. Uma retenção imprevista pouco antes da aterrissagem em Medellín — dois aviões de carreira orbitando na fila de espera, e um terceiro chegando em pane — fez com que o Avro ficasse sem combustível durante a aproximação e caísse a apenas 30 quilômetros do aeroporto internacional José María Córdova. Das 77 pessoas a bordo (68 passageiros e 9 tripulantes), 71 morreram, entre elas o presidente, o técnico e 19 dos 22 jogadores da equipe catarinense, além de diversos jornalistas.

Há uma incrível coincidência entre as tragédias dos voos Avianca 052 e LaMia 2933. Ambos caíram por falta de combustível. O voo 52 se espatifou a 35 quilômetros de sua pista de pouso; o LaMia, a 30. Medellín foi o ponto de partida do Avianca 052 e era o destino do LaMia. O povo colombiano se envolveu emotivamente com os dois acidentes. No caso narrado neste livro, chorando a perda de seus compatriotas. No desastre de novembro de 2016, socorrendo os feridos, consolando os parentes dos mortos e prestando uma das cerimônias fúnebres mais tocantes das histórias da aviação e do esporte, quando 40 mil pessoas lotaram o estádio Atanasio Girardot, em Medellín, onde seria realizada a partida, além de outras dezenas de milhares do lado de fora, para homenagear os mortos, em quase sua totalidade brasileiros, na tragédia.

Personagens envolvidos direta ou indiretamente com o AVA052

ADMINISTRAÇÃO FEDERAL DE AVIAÇÃO (FAA)

Diane Spitaliere, porta-voz
Fred Farrar, porta-voz em Washington, D.C.
John Walker, diretor-assistente
Kathleen Bergen, porta-voz

ADVOGADOS

Alberto Talero, advogado de María Lucila Torres
Byron Bassin, advogado de María Lucila Torres
Clemencia Talero, advogada de María Lucila Torres
Fernando Oliver, representante de dois passageiros do AVA052
Frank H. Grantino, advogado de 25 passageiros do AVA052
George Tompkins Jr., advogado da Avianca
James Wilson, advogado do governo dos Estados Unidos da América
Marc Moller, advogado das vítimas do AVA052
Michael J. Holland, defensor da Avianca

AUTORIDADES

Donald Belfi, juiz do tribunal do condado de Nassau
Enrique Penalosa, embaixador da Colômbia nas Nações Unidas
Francis T. Purcell, prefeito do condado de Nassau, Long Island, NY
Hugh Mahoney, assistente especial da prefeitura do condado de Nassau, Long Island, NY
Joe Krovinsky, porta-voz do Departamento de Justiça dos Estados Unidos
Thomas C. Platt, juiz do Tribunal Federal do Distrito Leste de Nova York
Thomas S. Gulotta, prefeito do condado de Nassau, Long Island, NY
William P. Barr, procurador-geral dos Estados Unidos da América

BOMBEIROS

Chris Chazotte, bombeiro de Jericho
Chris Michalea, capitão do departamento de bombeiros de Glen Cove
Jack Warren, departamento de bombeiros de Syosset
Joseph G. Boslet Jr., chefe dos bombeiros do condado de Nassau, Long Island, NY
Ken Johnson, departamento de bombeiros de Syosset
Rich Serla, departamento de bombeiros de Syosset
Robert J. Doran, segundo em comando dos bombeiros de Nassau, Long Island, NY
Thomas Reardon, chefe da companhia 1 dos bombeiros de Oyster Bay
Tom Rahilly, instrutor-chefe dos bombeiros do condado de Nassau, Long Island, NY

COMITÊ NACIONAL DE SEGURANÇA NOS TRANSPORTES (NTSB)

Barry Trotter, membro do comitê de investigação do desastre
Christopher A. Hart, membro do comitê de investigação do desastre
James J. Kolstad, presidente do comitê de investigação do desastre
Jim Burnett, membro do comitê de investigação do desastre
John K. Lauber, membro do comitê de investigação do desastre
Ron Schleede, investigador do NTSB
Susan Coughlin, vice-presidente do comitê de investigação do desastre

FAMILIARES DE PASSAGEIROS E TRIPULANTES

Adela Franco, mãe de Luz Elena e avó de Jessica
Cecilia Olaya, mãe de Miguel Olaya
Héctor Vásquez, marido de Luz Elena e pai de Jessica
Jairo Villada, cunhado de María Lucila Torres
José Walter Palácios, pai de Aída Gutiérrez e avô de Jessica Gutiérrez
Liria Gutiérrez Palácios, mãe de Aída Gutiérrez e avó de Jessica Gutiérrez
Miryam Ballesteros, mãe de Astrid E. López
Ofelia Canola, filha da passageira Teresa Flores

JORNALISTAS

Hernando Reyes, repórter de uma estação de rádio colombiana
Michelle V. Agins, repórter do *New York Times*

MÉDICOS

Dan Reiner, cirurgião do Hospital Universitário North Shore, Long Island, NY
Eugene Kraus, cirurgião do Hospital Universitário North Shore, Long Island, NY
George Dunn, de Glen Cove, Long Island, NY
Joseph Greensher, diretor-médico do Hospital Universitário Winthrop
Joseph Sciammarella, diretor-médico — serviços de emergência de Suffolk
Lawrence Mottley, diretor do serviço médico de emergência de Nova York
Mark Henry, diretor da emergência do Centro Médico Booth Memorial
Michael Grieco, cirurgião-geral do Hospital Comunitário de Glen Cove, Long Island, NY
Romie Roland, traumatologista
Scott S. Coyne, radiologista do Hospital Comunitário de Glen Cove, Long Island, NY
Victor Fornari, chefe da pediatria do Hospital Universitário North Shore, Long Island, NY

MORADORES DE COVE NECK, LONG ISLAND E ARREDORES

Emmanuel Gratsias, reverendo da igreja ortodoxa grega
Erin Byrne, dezesseis anos, moradora de Cove Neck, Long Island, NY
John McEnroe, pai do tenista John McEnroe e morador de Cove Neck, Long Island, NY
Kay McEnroe, mãe do tenista John McEnroe e moradora de Cove Neck, Long Island, NY
Marrion Seagell, moradora de Cove Neck, Long Island, NY

Peter Whitelaw, residente em Cove Neck, Long Island, NY
Rick Robinson, residente em Cove Neck, Long Island, NY

PASSAGEIROS DO AVA052

Adolfo León Vásquez
Aída Gutiérrez, mãe de Jessica Gutiérrez
Alejandro Cano
Alicia Díaz Yanquen, 43 anos
Alberto Mejias, 38 anos
Alfredo Vélez
Álvaro Zabala
Amanda Alvarez, 71 anos
Ana Acosta de Matiz, oitenta anos
Ana Edilma López
Ana Vélez
Aníbal Arboleda Valencia, 47 anos
Amparo Zuluaya, trinta anos
Ana Acosta de Matiz
Antonio Zuluaga
Astrid E. López, vinte anos, estudante
Austin Rodríguez
Bertha Chorens de Vásquez, cinquenta anos
Bianca Heidt
Carlos Alberto Gallego
Carlos Arturo Cuartas
Carlos Gómez
Carlos M. Patiño, marido de María e pai de Juan David
Carlos Mario Velásquez, 35 anos
Cipriano Mejía

Claudia Carvajalino
Cristóbal Ruiz, 63 anos
Daniel Vásquez
Daniela Montoya, bebê, filha de Myriam e Luís Montoya
Denise Russo
Diana Montoya
Diego Estrada
Dina Petrofesa
Doris Petrofesa
Edgar Casilimas
Edilberto Huertas, 43 anos
Edilma R. López, 43 anos
Edward Amaya Gómez
Eluid Moreno, trinta anos
Elvia Calderón, cinquenta anos
Emma Tobón, 65 anos
Eva Aldor Forbath, 76 anos
Eva Garzón de Rodríguez, 65 anos
Gabriel Fernández, 29 anos
Gladys Cárdenas de Pardo
Gloria Betancur, 34 anos
Gloria Cardona, 27 anos
Gloria L. Martínez, 32 anos, mãe de Kennedy Fernando (Kenny), quatro meses
Gloria Restrepo
Gonzalo Acevedo
Guillermo Bedoya
Guillermo Camargo Silva
Guillermo Gallego, 37 anos
Gustavo González
Gustavo Pérez, 43 anos

Humberto Ardila Patiño
Humberto Estrada Calle, 37 anos
Iván Gómez
Iván Gómez Jr.
Jaime G. Bolaño
Jairo Arango
Jairo Gallego Zapata, cinquenta anos
Javier Hincapié
Jessica Bedoya
Jessica Gutiérrez, oito anos, filha de Aída Gutiérrez
Jessica Vásquez, dois anos, filha de Luz Elena
John Albert Osorio
Jorge Darío Abad Romero
Jorge Iván Gómez
Jorge Lozano, colombiano, executivo da Cargill, passageiro da primeira classe
José Andres Pardo Carenas, cinco anos
José Orlando Figueroa, 32 anos
José Pardo
José Xavier León Jimenez
Juan David, sete anos, filho de María e Carlos Patiño
Juan Guillermo Ochoa
Julio H. Ramírez, 37 anos
Kenneth Fernando Martínez (Kenny), quatro meses, filho de Gloria L. Martínez
Laureno Cavides Hoyas, 56 anos
Leidy Pardo
Levia Cediel, 44 anos
Livia López Cediel
Livian Ilkhana, 43 anos
Lucero Marulanda

Lucía Sacha
Luís F. Montoya, marido de Myriam Montoya
Luís Rodrigo Álvarez
Luís Rodríguez
Luís Serna
Luz Elena Vásquez, mãe de Jessica
Luz M. Mora, 52 anos
Luz Mora García
Luz María Ledesma
Magdalena Rodríguez
Magnolia Bedoya, 28 anos
Marcela Gómez
Marco Calle, sessenta anos
Margarita Londoño
Margarita Sosa, 38 anos
Margaret (Margie) Law, 24, americana, noiva de Miguel Olaya
María Amparo Zuluaga
María Arias, 42 anos, residente em Manhattan, Nova York
María Cecilia Velásquez, 53 anos
María Cristina Roldan Vasquez, 27 anos
María Elsa Amado González, 41 anos, residente em Nova York
María Eugenia Agudelo, publicitária
María Flórez, 62 anos
María Graciela Gutiérrez
María Josephina Patiño, mulher de Carlos e mãe de Juan David
María Lucila Torres, 46 anos, residente em Medellín
María M. Calle, 54 anos
María M. Sosa
María Marcela Gomez, dezoito anos
María Ofelia Gil Espinol, 39 anos
María Shirley Arias

María Teresa Flores
Marisol Velasco
Marlon Hurtado
Marta Cuervo, 62 anos
Marta Lucia Hurtado
Mauricio Giraldo
Michelle Russo
Mery Ocampo de Caicedo, 56 anos
Mery Ruiz, cinquenta anos
Miguel Olaya, 29 anos, americano, chef, noivo de Margie Law
Mónica Martínez
Monsalve Salinas, 61 anos
Myriam Montoya, mulher de Luís Montoya
Nelson José Martínez, 46 anos
Néstor Zárate, advogado colombiano, residente nos Estados Unidos
Nieves Gómez de Gómez
Olga Galafre de Carvajalino
Omar Londoño, 63 anos
Óscar Valencia, 35 anos
Pablo Olegario Rodríguez, 49 anos
Pastor Salinas Monsalve
Plácido Cruz Martín, 39, pintor de paredes e maratonista
Raquel Trujillo, 77 anos
Robinson Botero, 25 anos
Rodrigo Alvarez, 34 anos
Rogelio Ossa
Rommel Ortiz
Rosalba Bolaño
Rosalba Ochoa Rivera
Rosalva Rivera, 56 anos
Rubén Darío Palacio, 33 anos

Rudolf Knauf
Salomón Giraldo Arteaga, 52, colombiano, taxista em Nova York
Sergio Iván Giraldo, colombiano, motorista de limusines em Nova York
Sixta Cubillos, 54 anos, residente em Nova Jersey
Teresa Flores
Tito Segovia Benavides, 47 anos
William Heidt
Yolanda Hoyos
Yves Du Pont, 41 anos

POLICIAIS

George Koehler, sargento, piloto de helicóptero da polícia de Nova York
Peter Franzone, porta-voz da polícia do condado de Nassau, Long Island, NY

SOCORRISTAS

Bob O'Brien, enfermeiro
Ralph Longo, paramédico

TRIPULAÇÃO DO AVA052

Laureano Caviedes Hoyas, comandante, colombiano, 51 anos
Mauricio Klotz Rubio, primeiro-oficial (copiloto), colombiano, 28 anos
Matías Moyano Rojas, engenheiro de voo, colombiano, 45 anos
Alberto Contreras, chefe de equipe, colombiano, cinquenta anos
Germán Rivera, comissário de bordo

Jairo Alberto Turco Parra, comissário de bordo
Luz Amanda Gonzáles, comissária de bordo
Marta Elena Rodríguez, 32 anos, comissária de bordo
Rosa Ginneth Téllez, comissária de bordo

OUTRAS PESSOAS LIGADAS AO VOO AVA052

Alice Siegel, porta-voz do Hospital Universitário de North Shore, Long Island, NY
Donna Cattano, porta-voz do Centro Médico do Condado de Nassau
Ernest Robinson, padre da Igreja da Sagrada Família de Hicksville
Janet Sarsfield, porta-voz do Centro Médico do Condado de Nassau
Malcolm Gladwell, escritor, autor de Fora de série: Outliers
Michael M. Deluca, administrador hospitalar
Robert Helmreich, psicólogo, estudioso do comportamento de pilotos
Rosita Lazar, voluntária da Cruz Vermelha
Steven Bernstein, administrador hospitalar
Suren Ratwatte, piloto, pesquisador de fatores humanos em desastres

Documentação e fontes de pesquisas

MANUAIS AERONÁUTICOS

Boeing 707-320 Aircraft Operations Manual, 3. ed. 25 maio 2015. Atualizado por Mark Hubbard.

LIVROS

GLADWELL, Malcolm. *Fora de série: Outliers*. Rio de Janeiro: Sextante, 2008.

ZÁRATE, Néstor. *20 minutos antes... 20 años después: La historia del Vuelo 052 de Avianca*. Editorial Oveja Negra, 2010.

RELATÓRIOS OFICIAIS

National Transportation Safety Board — Washington, D.C. 20593 — Aircraft Accident Report — Avianca, The Airline of Colombia, Boeing 707-321B, HK-2016 — Fuel Exhaustion — Cove Neck, New York — January 25, 1990 — Adopted: April 30, 1991 — Notation: 52558.

Order JO.65V da Federal Aviation Administration FAA.
US National Weather Service Report, January 25, 1990.

ARTIGOS EM JORNAIS

CUSHMAN, John H. "F.A.A. Sued as Jetliner Crash Inquiry Starts". *International New York Times*, 21 jun. 1990.
DEPARLE, Jason. "Caravan of Cars Enters Kennedy To Protest Crash". *The New York Times*, 26 fev. 1990.
FEENEY, Michael J.; GASKELL, Stephanie. "Survivors, first responders reunite 20 years after deadly crash of Avianca Flight 52 on Long Island". *Daily News*, 24 jan. 2010.
KAKUTANI, Michiko. "It's True: Success Succeeds, and Advantages Can Help". *International New York Times*, 17 nov. 2008.
LUBASCH, Arnold H. "Avianca Offers Crash Survivors $ 75,000 Apiece". *International New York Times*, 28 jul. 1990.
LUECK, Thomas J. "U.S. Joins Airline in Plan for Settlement in 1990 Crash". *International New York Times*, 17 nov. 1992.
MCFADDEN, Robert. "Toll at 72 in L. I. Air Crash; 89 Survive". *The New York Times*, 27 jan. 1990.
MCQUISTON, John T. "Plane Crashes on L.I. With 149 Aboard; At Least 9 Killed on a Boeing 707 From Colombia". *The New York Times*, 26 jan. 1990.
NAVARRO, Mireya. "For Some, No Escape From L. I. Jet Crash". *The New York Times*, 25 jun. 1990.
PHILLIPS, Don. "Colombian Airliner May Have Run Out of Fuel". *The Washington Post*, 27 jan. 1990.
SASLOW, Linda. "At the Crash Scene, Disbelief, Disarray, Then Cooperation". *International New York Times*, 4 fev. 1990.

SASLOW, Linda. "Survivors of Crash Flight To Regain Normal Lives". *The New York Times*, 6 maio 1990.

_____. "Avianca Crash Leaves Questions on Response". *The New York Times*, 7 out. 1990.

SCHMITT, Eric. "Fog on a Narrow Road: Rescue Was an Ordeal". *The New York Times*, 27 jan. 1990.

TOBAR, Hector. "Injured Smuggler Betrayed by Tell-Tale X-Ray". *The New York Times*, 27 jan. 1990.

WEINER, Eric. "The Crash of Flight 52; Pilots Say Fuel Gauges on 707's Often Provide Inaccurate Readings". *The New York Times*, 28 jan. 1990.

_____. "Fuel Emergency is Declared for Avianca Jet". *International New York Times*, 2 ago. 1990.

_____. "Fuel Emergency for Avianca Jet Said Premature". *International New York Times*, 4 ago. 1990.

WINERIP, Michael. "The Crash of Flight 52; No Warning from Cockpit, Survivors from Flight 52 Say". *The New York Times*, 27 jan. 1990.

DOCUMENTÁRIOS DE TV

Avianca Flight 052. National Geographic Channel. Air Crash Investigation.

Why Planes Crash: Avianca Boeing 707 Flight 52 Crash — Flight From Bogota to New York 1990. AviationExplorer.com.

Mayday Air Crash Investigation. National Geographic Channel. Missing Over New York. *Deadly Delay*.

OUTRAS REFERÊNCIAS

"Avianca Cocaine Courier Gets 7-Year Term In Prison". *Orlando Sentinel.* 5 abr. 1991.
"Avianca Drug Courier Sentenced". Associated Press, 4 abr. 1991.
"Avianca Flight 52 Survivor Charged with Drug Possession". A. P., 30 jan. 1990.
IFR Enroute Aeronautical Charts and Planning, High Altitude U.S. Chart H-9 Federal Aviation Administration
IFR Enroute Aeronautical Charts and Planning, High Altitude U.S. Chart H-12 Federal Aviation Administration
"Jet Crash Survivor May Be Hit Man". *The New York Times*, 3 fev. 1990.
National Transportation Safety Board, Order EA-5411, 5 out. 2008.
"Partial List of Those Who Died" *The New York Times*, 28 jan. 1990.
"Survivor of Jetliner Crash Charged with Carrying Cocaine in his Body". *Deseret News*, Utah, 31 jan. 1990.

CARTAS AERONÁUTICAS

Jeppesen Navigation Charts
Lido Navigation Charts

WEBSITES

Disponível em: <http://www.ntsb.gov/investigations/AccidentReports/Pages/aviation.aspx>. Acesso em: 27 set. 2016.
Disponível em: <http://www.nytimes.com/1990/02/05/nyregion/avianca-flight-52-the-delays-that-ended-in-disaster.html?pagewanted=all>. Acesso em: 27 set. 2016.

ESTA OBRA FOI COMPOSTA PELA ABREU'S SYSTEM EM INES LIGHT
E IMPRESSA EM OFSETE PELA LIS GRÁFICA SOBRE PAPEL PÓLEN SOFT DA
SUZANO PAPEL E CELULOSE PARA A EDITORA SCHWARCZ EM JANEIRO DE 2017

A marca FSC® é a garantia de que a madeira utilizada na fabricação do papel deste livro provém de florestas que foram gerenciadas de maneira ambientalmente correta, socialmente justa e economicamente viável, além de outras fontes de origem controlada.